Jamaiplu

Romans
Cliente, Fayard, 2004.
Parano express, Fayard, 2006.

Théâtre
Le Père Noël est une ordure, Actes Sud, « Babel »,
  2000.
*Nuit d'ivresse. L'Ex-femme de ma vie. Un grand cri
  d'amour*, Actes Sud, « Babel », 2003.
Bunny's Bar, Actes Sud, « Papiers », 2004.
Dernier Rappel, Actes Sud, « Papiers », 2006.
La Nuit sera chaude, Actes Sud, « Papiers », 2012.

Josiane Balasko

Jamaiplu

Pygmalion

Ouvrage paru sous la direction de Lilas Seewald

Pour plus d'informations sur nos parutions,
suivez-nous sur Facebook, Instagram et Twitter.
https://www.editions-pygmalion.fr/

À tous les magiciens qui m'ont fait voyager
dans leurs multiples dimensions,
Fredric Brown, Arthur C. Clarke, Jean Ray,
John Wyndham, Ursula K. Le Guin,
Ray Bradbury, Cordwainer Smith
et tant d'autres encore, un bien modeste hommage
pour avoir enchanté ma jeunesse.

JAMAIPLU

Le corbeau me suivait à bonne distance depuis un petit moment, survolant le sentier qui menait à la maison.

Je m'arrêtai et le vis se percher sur la branche basse d'un gros chêne. Il me regardait. Il avait sans doute quelque chose à me dire, que je n'arrivais pas à déchiffrer. Je manquais d'expérience dans le domaine des oiseaux.

J'ai grandi à la campagne, près d'une ferme et, vers l'âge de cinq ans, j'ai commencé à entendre, ou plutôt à voir, ce que les animaux me transmettaient. Les habitants de la basse-cour et de l'étable devinrent naturellement mes compagnons de jeu. À la même époque, j'arrêtai aussi de consommer de la chair animale, au grand désespoir de mes parents – il était pourtant évident que je n'allais pas manger mes petits copains.

Les animaux apprivoisés ou domestiques sont plus simples à lire, ils utilisent plus facilement les codes humains, les images qu'ils projettent sont claires, dans la plupart des cas. Mais le corbeau me restait incompréhensible.

Je repris mon chemin, continuant à recevoir des signaux auxquels je ne trouvais aucun sens. Sinon de la détresse. Je ne percevais que de la détresse.

Et puis ce fut le silence. Mes regards se portèrent alentour, mais l'oiseau avait disparu.

Bella m'attendait avec impatience et me fit comprendre qu'elle avait faim. Je n'ai pas besoin d'« entendre » ma chienne pour deviner ses besoins. Tout le monde peut le faire, les chiens sont suffisamment expressifs, les chats également. Il n'y a qu'en cas d'urgence qu'ils transmettent des images fortes. Très peu d'humains peuvent les capter, j'ai la chance d'en faire partie. Ce dialogue particulier demande beaucoup d'énergie, de concentration. Sans doute n'en avais-je pas eu assez avec le corbeau.

Plus tard dans la soirée, je regardais ma série favorite lorsque Bella se mit à grogner.

Un coup sec fut alors frappé à la fenêtre. C'était lui. Perché sur le rebord, la tête penchée, il me fixait d'un œil brillant. Bella se leva, prête à bondir. Le corbeau s'envola. Je pris la tête de

Bella entre mes mains, la caressai et lui envoyai le message : *Ami. Tout va bien.*

Elle se calma immédiatement et alla s'allonger près de la cheminée. Lorsque l'oiseau frappa de nouveau au carreau, elle ne bougea pas d'un poil.

Quand j'ouvris la fenêtre, il voleta jusqu'à la boîte aux lettres et attendit, patiemment.

Je fis le vide dans mon esprit et, moi aussi, j'attendis.

Les corbeaux sont très intelligents. Celui-ci tentait de dire quelque chose à un humain qu'il devait estimer aussi intelligent que lui. Je voulais être à la hauteur, et m'agaçai de ne pas y parvenir. Puis une image apparut, la vision très belle d'un ciel parfaitement bleu, au-dessus d'un grand saule frissonnant dans le vent. C'était clair : l'oiseau me disait de me calmer. Il procédait avec moi comme je l'avais fait avec Bella. Je souris.

Alors, l'harmonieux paysage évolua d'un seul coup. Le ciel se fit orageux, menaçant, le vent souffla violemment dans les branches du saule et un éclair zébra l'horizon. J'avais compris. Ça allait être brutal. Pour le rassurer, je renvoyai l'image d'un énorme chêne, trônant impérialement dans une prairie. Laquelle fut immédiatement balayée par de profondes ténèbres, qui perdurèrent plusieurs très longues secondes.

Un visage d'enfant apparut, une petite fille, absolument paniquée et qui hurlait silencieusement. Je poussai un cri et ouvris les yeux. Bella bondit vers moi et me lécha les mains.

Le corbeau avait disparu. J'essayai pendant un long moment d'établir un contact. En vain. Cette nuit-là, l'image perturbante de l'enfant m'empêcha de trouver le sommeil.

Qui était-elle ? Où l'oiseau l'avait-il vue ? Les animaux ne mentent jamais. Ils peuvent se tromper, mais la dissimulation n'est pas dans leurs gènes. Je finis par m'endormir oppressée, aux premières heures de l'aube.

Le lendemain, j'avais deux consultations à assurer, l'une au village, l'autre dans une ferme, à une quinzaine de kilomètres. Je suis kinésithérapeute, et je pratique dans la région depuis une bonne dizaine d'années. J'enfourchai mon vélo, encore tendue par ce que j'avais vécu la veille. Tout en pédalant, je me disais que, moi aussi, j'aurais eu bien besoin d'un bon massage.

Au début, mes clients s'étonnaient de me voir ainsi débarquer. Une voiture aurait été plus pratique, une mobylette à la rigueur, mais un vélo ! Lequel tirait par-dessus le marché une mini-remorque pour transporter ma table de massage !

J'essayais de leur faire comprendre que ce n'était pas par souci d'économie que je parcourais ainsi les environs, mais parce que mes efforts avaient leur récompense : le silence.

Le silence des chemins vicinaux qui longent les prairies, rempli de chants d'oiseaux, du bruissement du vent dans les haies et les bouleaux bordant la rivière, ce silence ponctué par les chœurs des grenouilles et des crapauds, par le crissement des insectes l'été et le bétail beuglant au loin. Ça valait largement quelques suées. Bien sûr, quand l'hiver arrivait, je regrettais parfois de ne pas avoir de voiture, mais c'est une autre histoire.

Ce matin-là, c'était la fin de l'automne, et le silence était vraiment silencieux, à part quelques bourrasques dans les arbres, qui projetaient leurs feuilles sur mon chemin.

La trentaine de kilomètres que j'avais parcourue dans la matinée m'avait fait du bien, je me sentais plus détendue, l'esprit serein. Lorsqu'un croassement vigoureux crispa mon oreille. Je levai la tête et vis l'oiseau me survoler, lentement, en larges cercles. La vision de la veille réapparut, si présente que je dus m'arrêter. Elle s'effaça assez vite et le corbeau vint se poser sur le chemin, à quelques mètres de moi. C'était vraiment un gros corbeau.

Je pensai au film d'Hitchcock et ça me mit en colère.

— Tu veux quoi ? Me faire peur ? C'est tout ce que tu as à me dire ? Qu'est-ce que c'est que cette image ? Qui est cette gamine effrayée ?

Si je n'avais pas été aussi énervée, j'en aurais ri. J'étais en train de hurler, en pleine campagne, sur un volatile qu'apparemment je n'impressionnais pas le moins du monde.

Le message qu'il m'envoya, bien que difficilement traduisible, était pourtant parfaitement clair : *Même pas cap !*

En plus il se foutait de moi ! Même pas cap ?! Toi-même, oui ! Même pas cap d'expliquer quelque chose correctement ! Je ne lui avais rien demandé !

Je ré-enfourchai mon vélo et repris mon chemin sans lui accorder plus d'attention. En réalité, j'étais vexée. Et humiliée. Par un fichu corbeau qui m'avait lancé un défi que je me sentais incapable de relever.

Une fois arrivée à la maison, je transmis malgré moi mon émotion à Bella, qui se mit à gémir doucement en rampant à mes pieds. Là, je me sentis carrément nulle. Il faut parfois se donner des gifles mentales et je m'en donnai une grosse, qui eut pour effet de me faire fondre en larmes. Bella bondit dans mes bras pour me consoler, et ses quarante kilos me firent choir dans le canapé.

Le cadre au-dessus de la cheminée me renvoya le reflet d'une femme de trente-cinq ans, le visage barré d'une énorme cicatrice, à moitié étouffée par l'amour d'un bouvier des Flandres.

Ça n'avait pas été facile au début, quand j'avais commencé à pratiquer dans la région. Les gens étaient polis, mais ils éprouvaient une certaine méfiance à la vue de ma balafre. Je ne peux pas leur en vouloir, moi-même, j'ai eu du mal à m'y habituer – d'ailleurs, je ne sais pas si je m'y suis habituée, j'écourte au maximum les moments passés devant la glace.

Je ne me regarde pas, je m'entrevois.

Je me dégageai de l'étreinte de Bella, respirai un grand coup et lui envoyai un doux message de réconfort. La réponse fut : *Promenade*. Promenade accordée. Avec la prière secrète qu'aucun corbeau, aucune pie, corneille ou volatile d'aucune sorte, serait-ce un pigeon ramier, ne vienne la troubler.

Je fus exaucée, la balade se passa tranquillement, Bella me transmettant ses ondes de bonheur canin, à foncer à travers bois, à se rouler sur les tapis d'aiguilles de pins, à mordiller furieusement les petites branches que je lui lançais. Ce fut un moment apaisant, propice à la réflexion.

L'irruption de l'oiseau dans ma vie me paraissait maintenant dénuée de tout mystère. L'image de l'enfant ? Volée sans doute pendant le caprice d'une petite fille en colère. Il ne mentait pas, il se trompait. Sans mauvaise intention.

Je pensai au poème d'Edgar Poe, et baptisai l'oiseau Jamaiplu. Ça sonnait bien. Jamaiplu le corbeau.

Comme nous revenions vers la maison, un renard traversa le chemin et Bella se lança sur ses traces. Je n'essayai même pas de l'en empêcher, elle n'avait pas la moindre chance de le rattraper. Elle laissa tomber rapidement et me rejoignit alors que j'entrais dans le jardin, essoufflée, un peu penaude, mais satisfaite de sa course.

Je passai le reste de la journée à lessiver, repasser et faire à fond un grand nettoyage, d'une manière quasi frénétique. Je ne suis pas vraiment portée sur le ménage. Pour être honnête, je suis même assez bordélique, mais ce besoin impérieux de propreté me prend, je dirais deux, trois fois par an, et j'en sors toujours soulagée et assez fière de moi.

Je terminai par une exploration du grenier, en quête de tout ce qu'il y avait à jeter, entassé là-haut depuis des années. Je ne sais pas pourquoi il me semblait soudain impérieux de ranger toutes ces choses que je n'avais pas touchées depuis que j'avais emménagé. Ce n'était pas une bonne idée.

Trop de souvenirs accumulés dans les vieilles valises et les cartons, photos, lettres, cartes postales, qui me renvoyaient à ma solitude. Même si je ne m'attardai sur aucun d'entre eux, ils me ramenaient tous à ma vie passée, celle où j'avais des amis avec qui partager les fous rires et les peines, un amoureux et des projets d'avenir.

Un peu plus de onze ans auparavant. Juste avant que je ne m'installe dans cette maison, loin de ma région d'origine.

Onze ans. Depuis la mort de mes parents.

Les larmes embuèrent mes yeux et coulèrent en fontaine sur mes joues.

Je pleurai un long moment sans pouvoir m'arrêter, allongée sur le plancher du grenier, au milieu des cartons ouverts et des fragments éparpillés de mon existence.

Je finis par m'endormir, épuisée, et me réveillai lorsque ma chienne se mit à gratter furieusement à la porte. *Faim ! faim ! faim !*

Faim. Désolée, Bella. Un petit moment de faiblesse.

Les chiens ont le chic pour vous rappeler que la vie continue et qu'il ne faut pas en oublier les choses importantes : manger, besoins, balades, caresses. Ils ne s'apitoient jamais sur eux-mêmes. Ils souffrent. Avec toujours une petite lueur d'espoir.

La crise m'avait vidée de toute émotion, mais, comme Bella, j'étais affamée.

Je dévorai tout ce qui traînait dans le frigo et avalai même une bouteille de brouilly, entamée quinze jours plus tôt et pas rebouchée depuis.

Je me fis couler un bain et, l'alcool aidant, dans un état proche de la béatitude, un sourire stupide aux lèvres, je mijotai une bonne heure dans la baignoire dont l'eau avait fini par refroidir. Ce qui m'était complètement égal.

Aussi, lorsqu'un petit coup sec fut frappé à la fenêtre, je n'en fus pas surprise.

— Jamaiplu !

Je criai son nom, joyeusement.

— Comment ça va, mon p'tit pote ?

Je le distinguais à peine à travers la buée sur la vitre, mais je savais qu'il m'observait, qu'il m'écoutait, surtout.

— Ça va être à toi d'essayer de me comprendre, cette fois. Je ne ferai aucun effort, mon p'tit plumé. Comment trouves-tu le nom que je t'ai donné ?

Il répondit par un croassement sonore et furieux. Comme une injure. Accompagné d'un coup sur le carreau.

J'éclatai de rire.

— Jamaiplu. Tu es un drôle de malin, toi ! et susceptible, par-dessus le marché !

Je m'enfonçai dans la baignoire et pris brusquement conscience de la température de l'eau. Les effets du brouilly s'étant dissipés, je me séchai en grelottant.

D'un seul coup, j'étais réveillée, l'esprit vif.

Je jetai un regard sur la fenêtre. Il était toujours là, pratiquement collé à la vitre, et suivait tous mes mouvements, la tête penchée sur le côté.

— D'accord, vas-y. Dis ce que tu as à me dire.

Une cour de ferme. Un petit garçon sort du bâtiment en hurlant, il se roule par terre en poussant des cris. Silhouette floue d'une femme qui s'approche et le prend dans ses bras. Sans transition, l'obscurité et l'image de la petite fille paniquée.

Je ne répondis rien. Le message était limpide. Jamaiplu ne s'était pas trompé. Si le jeune garçon faisait un caprice, la petite fille, elle, était réellement terrifiée. Et, par images juxtaposées, il venait de m'en faire la démonstration.

J'ouvris la fenêtre, il ne bougea pas. Nous nous regardâmes un petit moment, en confiance, puis il s'envola, disparaissant d'un coup dans l'obscurité.

Je dormis paisiblement, cette nuit-là.

Le lendemain étant un dimanche, je fis même la grasse matinée, Bella à mes côtés.

La journée s'annonçait particulièrement belle, comme une résurgence de l'été avant l'hiver. Pendant la balade matinale, je me surpris à chercher l'oiseau dans le silence des chemins, à espérer le moindre battement d'ailes. Je n'eus droit, façon de parler, car le spectacle en est toujours magique, qu'à un vol d'étourneaux traçant ses volutes dans le ciel.

Jamaiplu m'ayant quasiment harcelée pendant deux jours, j'étais persuadée qu'il reviendrait. L'envie de connaître la suite de l'histoire me démangeait.

Je trompai mon impatience en consultant sur le Net un grand nombre de sites sur les corvidés. J'y appris, entre autres choses passionnantes sur leur rôle sacré dans diverses mythologies, que les corbeaux peuvent vivre jusqu'à quarante ans. Quel âge avait le mien ?

Ce fut Bella qui m'avertit, en fin d'après-midi, oreilles dressées, grognement sourd en direction de la porte, qu'il était revenu. Accompagné.

Ils étaient deux, perchés sur la boîte aux lettres, Jamaiplu et un congénère plus petit.

Cela me fit sourire. Il avait amené son assistant ?

J'étais prête. À ouvrir sans condition mon esprit à ce qu'il avait à me dire.

Le message fut court : *Suis-le.*

Il pointa du bec son compagnon, qui s'ébroua.

D'accord. Loin ?

Ça dépend.

— Arrête de parler par énigmes, dis-je à voix haute.

S'il avait pu hausser les épaules, il l'aurait fait. Le jeune corbeau voleta jusqu'à mon vélo et se percha sur le guidon.

— J'ai compris, vélo. Avec ton copain.

Fils... fils...

— Ton fiston. Comment je vais l'appeler, ton fiston, si on est amenés à se revoir ?

Pour toute réponse, Jamaiplu s'envola jusqu'au sommet d'un arbre et disparut de ma vue. Son « fils » m'observait, la tête en coin.

Grip ! J'allais l'appeler Grip, en hommage à Dickens.

Grip ne bougea pas de son perchoir lorsque je délestai le vélo de sa remorque. L'aventure commençait vraiment à m'exciter.

Bella pleurait derrière la porte close, frustrée sans doute de ne pas y participer. *Avec toi ! avec toi !* répétait-elle en boucle lorsque j'entrai pour enfiler mon manteau.

J'aurais pu l'emmener mais j'ignorais où j'allais, elle commençait à se faire vieille et aurait été incapable de me suivre sur plusieurs kilomètres. Pour me faire pardonner, je lui donnai une ration de ses biscuits préférés et sortis de la maison.

Grip m'attendait tranquillement sur le guidon et s'envola d'un coup d'ailes quand j'enfourchai mon vélo.

Être guidé par un oiseau n'est pas chose facile. Il faut regarder en l'air, tout en évitant de rouler dans le fossé, où je faillis tomber dès les premières minutes. Ayant sans doute hérité de l'intelligence de son père, Grip le comprit très vite. Il vola de l'avant, m'attendant lorsque j'étais à la traîne, et je pus le suivre sans problème.

Il me fit emprunter des sentiers ignorés, cachés par des buissons, caillouteux, étroits, traversant les bois que je croyais connaître par cœur, pour déboucher sur une départementale qui longeait la rivière.

Le soleil baissait à l'horizon. La fatigue commençant à se faire sentir, je mis pied à terre. Où m'emmenait-il ?

Pas loin. Pas loin.

D'accord, mais que signifie «pas loin» pour un oiseau ?

Pas loin. Pas loin.

J'ignorais où j'étais exactement et je ne pouvais pas utiliser mon téléphone pour me repérer, la zone n'était couverte par aucun réseau. Je devais me situer à une vingtaine de kilomètres de chez moi. Du moins, je l'imaginais.

Sur la branche basse d'un peuplier, Grip attendait que je récupère. Une bouteille d'eau, j'aurais dû prendre une bouteille d'eau, idiote !

Il reprit son vol, planant patiemment au-dessus de moi, et je me remis en selle.

J'aperçus enfin un panneau indiquant la direction d'un village. Dont je n'avais jamais entendu parler.

C'était un hameau plutôt, dont la plupart des maisons étaient en ruine. Le silence y était palpable, seul le vent donnait un semblant de vie aux lieux.

Grip se posa sur le toit à moitié écroulé d'un lavoir et se mit à claquer du bec dans un bruissement d'ailes.

— Ça, je ne comprends pas. Je ne comprends pas, Grip. Je vais où maintenant ?

Sa réponse me prit complètement au dépourvu. Il s'envola, monta haut dans le ciel et disparut à l'horizon.

— Grip ! Grip !

Il m'avait laissée tomber dans ce lieu sinistre, avec la nuit qui arrivait.

J'en aurais pleuré de rage.

Je restai un moment à ruminer ma colère, assise sur le muret du lavoir, pestant contre mon insondable crédulité. J'allais devoir me retaper le chemin inverse, que je n'avais évidemment pas mémorisé.

J'étais sur le point de remonter à vélo lorsqu'une silhouette efflanquée sortit de la pénombre. Un matou au poil terne et aux oreilles dentelées par de multiples bagarres approchait nonchalamment.

Au moins, je ne pourrais pas dire qu'il n'y avait pas un chat dehors. Parvenu à un mètre de moi, il s'assit et se mit à se lécher les testicules consciencieusement.

Les chats connaissent-ils les raccourcis ? Je me concentrai sans trop y croire et lui envoyai l'image d'une souris courant dans l'herbe.

Il leva la tête, me regarda – me toisa, plutôt. Il était borgne, mais son œil valide brillait d'un bleu intense, comme celui d'un siamois. Il bondit sur le muret et recommença sa toilette intime. Une petite lueur d'espoir s'alluma, peut-être n'étais-je pas venue là pour rien.

— Tu as quelque chose à me dire, tu n'es pas là par hasard, mon vieux.

Il me renifla d'un museau méfiant et s'écarta prudemment.

Je suis plutôt chien de nature, j'en ai eu toute ma vie. Pour lui, je devais puer. Le dialogue devenait plus délicat. Je le caressai mentalement derrière les oreilles, le plus doucement possible. Il ferma l'œil et s'étira.

Qu'est-ce que tu as à me dire, chat ? Tu dois être un sacré bagarreur. Tu y as laissé un œil, mais l'autre est très beau.

Je reçus un sourire en échange de mon compliment. Un sourire de chat, c'est une onde de douceur qui vous traverse. Bel Œil sauta du muret, trottina jusqu'au porche d'une ancienne ferme, désormais abandonnée, s'arrêta, me lança un regard, puis se remit en route.

Je respirai. C'était reparti.

Je le suivis jusqu'à la sortie du hameau. Il prit alors un chemin de traverse bordé de roseaux, qui menait à une grande grille gardant l'entrée d'une propriété.

Bel Œil se glissa entre les barreaux et je le perdis de vue.

Au-delà, le jardin était vaste et bien entretenu. Il entourait une demeure cossue et prétentieuse, sans doute construite dans les années 1900 par un notable de la région et qui n'avait rien d'abandonné. Je distinguais de la lumière à l'étage.

J'étais au pied du mur – de la grille, en tout cas. Allais-je faire demi-tour et rentrer chez moi ? La nuit était déjà presque tombée, de toute façon.

J'appuyai sur l'Interphone. Qu'allais-je dire ? Deux corbeaux et un chat m'ont conduite jusqu'ici ? Au sujet d'une petite fille paniquée ?

Un grésillement et une voix d'homme se firent entendre.

— Désolée de vous déranger, je suis à vélo et j'ai perdu mon chemin. Pourriez-vous me renseigner, s'il vous plaît ?

— Où allez-vous ?

— Aux Lambraies.

— Connais pas.

La voix était sèche, décourageante.

— C'est à une dizaine de kilomètres de Saint-Aubin.

— Eh bien, vous n'êtes pas rendue. Traversez le hameau et prenez sur votre droite, vous rejoindrez la route de Châteauroux.

J'avais parcouru plus de trente kilomètres. Et j'allais devoir m'y recoller.

Je restai silencieuse un instant, avant de le remercier. C'est alors que je remarquai le clignotement d'une caméra sur l'Interphone. Mon visage balafré avait dû le surprendre. J'esquissai un maigre sourire et l'homme me demanda :

— Qu'est-ce que vous pouvez bien faire dans le coin ?

— Je me baladais, sans but précis, et…

— Et vous êtes arrivée ici. Le hasard fait bien les choses.

— Merci du renseignement, en tout cas.

Je m'apprêtais à repartir lorsque le portail s'ouvrit dans un long grincement.

— Venez boire un café ou quelque chose, vous avez un bout de chemin devant vous.

La voix s'était quelque peu radoucie.

Et pourtant j'hésitais. Une maison au milieu de nulle part, un inconnu m'invitant à entrer. Puis je me dis que ni Grip ni Jamaiplu ne pouvaient m'avoir conduite dans un traquenard.

Au moment où je franchissais le portail, une pluie froide et drue se mit à tomber.

— Vous échappez à la douche de justesse !

La cinquantaine fatiguée, le visage strié de rides, l'air un peu sévère, l'homme m'attendait sur le perron. Un setter irlandais se tenait à ses côtés et la bonne dose d'amitié que je vis dans son regard me rassura.

Installée dans un des grands fauteuils du salon, face au feu qui crépitait dans la cheminée, je bus je crois une bouteille entière d'eau minérale, sous le regard amusé de mon hôte.

Il s'appelait Pierre, et ce nom lui allait bien, il avait l'air solide. Pierre Mestrier.

Lorsque je me présentai à mon tour et l'informai de ma profession, il déclara en souriant :

— Vous les corps, moi les esprits. Je suis psychiatre à l'hôpital de Tours.

— Je ne suis qu'une simple kiné.

— Qui parcourt cinquante kilomètres à vélo dans la journée. Elles sont costaudes, vos balades.

— À vrai dire, je ne pensais pas aller aussi loin, mais…

Je m'interrompis. Pouvais-je lui raconter mon histoire, qu'il trouverait, au mieux, à dormir debout, au pire, un cas clinique intéressant ?

— Mais quoi ?

— J'ai suivi un oiseau.

— Tiens... Un oiseau.

— Un corbeau. Ou plutôt deux. Deux corbeaux.

— Ils allaient dans la même direction ?

— L'un a pris le relais de l'autre.

Le setter vint s'allonger à mes pieds. Et, pendant le court silence qui suivit, il m'envoya l'image d'un champ de marguerites. Des marguerites à perte de vue.

— Vous vous intéressez aux oiseaux ?

— C'est plutôt eux qui s'intéressent à moi.

Pierre me lança un regard étonné.

— De quelle manière ?

— Je ne vous demande pas de me croire... Les animaux me transmettent des messages depuis mon enfance.

Je sentais qu'il avait envie de sourire, mais il se contenta de souligner que les études sur l'intelligence animale n'en étaient qu'à leurs balbutiements.

La pluie s'était arrêtée, et je me levai pour prendre congé.

— Merci de l'accueil, merci pour l'eau et... est-ce que je pourrais utiliser vos toilettes ?

— C'est à côté de la cuisine, par là.

Il ouvrit une porte devant moi. Le setter m'avait suivie.

— Barry vous apprécie. Vous a-t-il dit quelque chose ?

Il y avait une légère ironie dans sa voix.

— Il m'a montré un champ de fleurs. Des marguerites.

Et je me dirigeai vers les toilettes, bien consciente qu'il devait me prendre pour une frappée.

Lorsque je ressortis, il m'attendait dans l'entrée, le visage grave.

— Vous avez vu des marguerites ?

— Peut-être votre chien rêve-t-il de balades dans les champs ? Encore merci pour votre accueil. Il ne pleut plus, ça va aller.

— Je ne mets pas en doute votre sincérité, vous savez. Nous ne nous connaissons pas et, bien que sceptique de nature, je ne vous soupçonne d'aucune supercherie…

Il prit un temps avant de continuer.

— Vous pourriez parler… Enfin, communiquer avec Barry, là, maintenant, devant moi ? Ça m'intéresse.

Ça m'apprendrait à raconter mes secrets au premier venu.

Devant mon hésitation, il s'excusa de sa demande.

Le setter et moi échangeâmes un regard, assez long.

— Il dit « marguerite », et il est triste. De la tristesse, oui.

Sans lui laisser le temps de répondre, je sortis de la maison. Je récupérai mon vélo, lorsqu'il me lança du haut du perron :

— Ma fille s'appelle Daisy. C'est le mot anglais pour « marguerite ». Et elle est paralysée depuis quinze ans.

Je murmurai un « désolée » qu'il ne dut certainement pas entendre, mais il resta sur le perron jusqu'à ce que j'atteigne la grille.

J'arrivai chez moi vers 23 heures, cassée, fourbue, les jambes pesant une tonne chacune, accueillie par une Bella surexcitée de me revoir enfin.

Je pris une douche brûlante et interminable, avalai deux aspirines, la journée du lendemain étant chargée, et ce ne fut qu'une fois couchée, un peu plus détendue, que je repensai à mes corbeaux. C'était donc là où je devais me rendre… Et la petite fille apeurée, c'était Daisy, qui n'était apparemment plus une gamine… Les corbeaux sont-ils sentimentaux à ce point ? Ou bien ont-ils le sens du mélodrame ?

Le sommeil m'emporta avant que je trouve la moindre réponse à mes questions.

La semaine qui suivit, rien ne vint troubler la routine de mon existence, le temps s'était dégradé, on entrait vraiment dans l'hiver et mes trajets à vélo devenaient plus difficiles.

Un jour, je devrais m'acheter une voiture, forcément. Un jour, je franchirais la barrière qui m'empêchait de conduire.

Je dois avouer que les visites de mes deux volatiles me manquaient. Les échanges avec Bella étaient toujours joyeux, c'était une chienne heureuse, pleine de bonne volonté et sans malice aucune, sans surprise non plus, mais ils ne comblaient pas ce désir d'aventure que les corbeaux m'avaient transmis.

Et puis, le samedi en fin d'après-midi, alors que j'avais fini ma tournée, je reçus un appel sur mon portable, un numéro que je ne connaissais pas.

C'était Pierre. Pierre Mestrier.

— Vous êtes facile à trouver, il n'y a pas trente-six kinés dans la région. J'espère que je ne vous dérange pas.

Il désirait me revoir. L'avantage avec un physique comme le mien, c'est qu'il n'y avait aucune ambiguïté sur le sens de sa proposition. Il précisa que, si ça me convenait, il se déplacerait en voiture jusqu'à chez moi. Et qu'il serait là d'ici une heure.

À peine avais-je raccroché que Bella aboya en direction de la fenêtre. J'aperçus Jamaiplu, perché sur la boîte aux lettres.

— Qu'est-ce que tu mijotes encore ?

Il me répondit par un long croassement.

31

— C'est ça, fous-toi de moi. Tu as quelque chose à me dire ?

Faim.

— Désolée, il n'y a pas de viande chez moi.

Chien.

— Quoi, chien ? Tu veux manger mon chien ?

Il pencha la tête, et j'aurais juré voir de la moquerie dans son œil.

— Ah ! bien sûr... Ce que mange le chien...

Dépitée, Bella regardait par la fenêtre le corbeau déguster ses croquettes. Une fois rassasié, Jamaiplu s'envola, comme à son habitude, très vite, très haut.

Ça m'avait fait plaisir de le revoir.

Bella me fit un peu la gueule et ne se radoucit que lorsque je déposai un os de bœuf dans sa gamelle. J'avais la chance d'avoir pour client le boucher du village : il tentait régulièrement de me convertir à l'alimentation carnée, mais me donnait des restes pour ma chienne.

J'essayais de mettre un peu d'ordre dans la maison quand j'entendis la voiture arriver. Comme je sortais pour l'accueillir, je vis Pierre ouvrir le coffre d'une grosse Range Rover et en tirer un fauteuil roulant.

Daisy. Il avait amené Daisy. La jeune fille attendait sagement sur le siège passager. Brune, le visage enfantin.

J'allais l'aider mais il me retint :

— Tout va bien, j'ai l'habitude.

Il la souleva délicatement et l'installa sur le fauteuil. Bella, me bousculant presque, se précipita vers eux.

— Bella !

— Pas de problème, Daisy aime les chiens.

Elle flaira longuement les mains de la jeune fille, qui la regardait faire en souriant.

Je reçois peu de visiteurs, à part le facteur et quelques livreurs, toujours les mêmes, que Bella connaît par cœur. Et maintenant, il y avait du nouveau. De quoi satisfaire sa curiosité. Elle me communiquerait plus tard ce qu'elle avait appris.

— Daisy, je te présente Adeline.

C'était un peu bizarre de l'entendre m'appeler par mon prénom, je ne l'aime pas particulièrement ; généralement on m'appelle par mon nom de famille, précédé d'un « mademoiselle » que je trouve plutôt ridicule.

— Bonjour, Daisy.

Elle répondit par un sourire et un hochement de tête.

— J'ai raconté notre rencontre à Daisy, et elle avait envie de vous connaître.

— Peut-être avez-vous besoin de massages ? C'est une chose que je sais faire.

Comme elle restait silencieuse, son père précisa :

— Daisy a de petits problèmes pour s'exprimer oralement. Mais elle se fait très bien comprendre.

Elle fit rouler sa chaise et s'approcha de moi, très près, puis me toucha le visage, suivant du doigt ma cicatrice.

Il y eut un petit moment de gêne, que je dissipai en leur en expliquant l'origine.

— Accident de voiture… Il y a longtemps.

— Alors, vous avez un point commun.

Le visage de la jeune fille s'assombrit et elle baissa la tête.

— On va parler de sujets plus joyeux. Daisy est très intéressée par votre… faculté de dialogue avec les animaux.

Tout en leur servant du thé, je m'interrogeai sur la façon dont Daisy communiquait avec son père. Il dut deviner ma pensée car il sortit de sa veste une tablette numérique et la lui tendit.

Elle tapa sur l'écran le mot « chien » et me le montra.

— Le mien ?

Hochement de tête.

De nouveau, un message court : « Parler avec ? »

— Vous voulez me voir dans mon grand numéro ?

Pierre eut un petit rire crispé.

— Désolé.

— Pas du tout. Mais Bella n'est pas très bavarde, enfin si, quand ça l'arrange. Ça tourne beaucoup autour de la nourriture et des balades.

J'appelai la chienne, qui posa sa tête sur mes genoux.

Nous nous regardâmes un petit moment, les yeux dans les yeux.

Triste. Fille triste. Le même message que le setter. *Secret*, ajouta-t-elle. Je m'en étonnai mais n'en montrai rien. Les animaux ne mentent pas.

Le père et la fille attendaient avec impatience le résultat de l'examen, si on peut dire. Je décidai de suivre le conseil de Bella.

— Pas grand-chose, elle veut sortir... Elle veut toujours sortir.

Je les sentais un peu déçus.

— Au fait, en venant chez vous, j'ai croisé un chat borgne. Vous l'avez déjà vu ?

Daisy hocha énergiquement la tête et se mit à pianoter à toute vitesse sur sa tablette : « Je le vois souvent. Se laisse pas approcher. Daria lui donne à manger. Je l'ai appelé Murr. »

— Murr ?

— Le chat du conte d'Hoffmann, répondit Pierre. Daisy lit énormément. Et Daria est la dame qui s'occupe d'elle pendant la semaine.

Daisy écrivit sur la tablette : « Murr a dit quelque chose ? »

— Il m'a seulement indiqué le chemin de votre maison, j'étais perdue dans le village et il est arrivé.

Pierre se mit rire.

— Excusez-moi, mais c'est tellement incroyable !

— Je sais…

Daisy écrivit : « Pourquoi notre maison ? »

Je me sentais coincée. Devais-je dire la vérité, au risque de paniquer cette jeune fille inutilement ? Quel prétexte plausible pouvais-je inventer ?

— C'est-à-dire que j'avais envie d'une balade à vélo et le corbeau m'a demandé de le suivre, en quelque sorte. Ça m'a amusée.

Je suis une piètre menteuse, Pierre le devina mais il fit poliment semblant de me croire.

— Vous avez mon numéro, passez nous voir quand vous voulez. En fin de semaine plutôt, me dit-il en prenant congé.

Daisy écrivit aussitôt : « J'aimerais bien. »

— C'est très gentil, mais c'est un peu loin.

— Vous n'avez pas de voiture ?

— Non, j'ai arrêté de conduire depuis l'accident.

— Vous savez, ce genre de blocage se répare facilement.

— Faudra que j'y songe.

Avant que son père ne l'installe dans la voiture, Daisy me lança un long regard, insistant. Comme si elle me demandait quelque chose.

Je passai la soirée devant mon feuilleton favori, une saga familiale aux multiples rebondissements dont je ne manquais aucun épisode. Mais, ce soir-là, je ne suivis pas vraiment l'intrigue. J'avais Daisy dans la tête et les questions qui allaient avec.

Que lui était-il arrivé ? Pourquoi avait-elle perdu la parole ? Et sa mère ? Elle n'avait jamais été évoquée dans la conversation.

Morte ? dans l'accident ?

D'un coup, les images que j'avais chassées depuis si longtemps refirent surface.

La route de campagne tout en virages, la nuit sans lune, la pluie incessante, et ce chien qui surgit de nulle part, le coup de volant pour l'éviter, le choc, la nuit, la nuit qui n'en finit pas, et le réveil.

Mes parents, tués sur le coup. Le toubib qui me dit que j'ai eu de la chance.

J'étais en soins intensifs, le jour de l'enterrement.

Sentant mon émotion, Bella saute sur le canapé et se blottit contre moi.

Mes parents sont morts par ma faute. À cause d'un chien perdu. Je devrais haïr les chiens.

Mais je me souviens aussi du message envoyé par la bête, dans la lumière des phares : *Peur. Peur.*

Je n'ai jamais plus touché un volant, et j'ai gardé la trace de mon erreur sur mon visage, refusant obstinément la chirurgie qui l'aurait effacée.

Après les mois passés à l'hôpital et la rééducation, je suis partie loin de ma ville natale, laissant derrière moi mes amis, qui d'ailleurs ne l'étaient plus tellement depuis l'accident, mon amoureux, que je connaissais depuis l'adolescence et qui n'osait plus me regarder en face, la maison dans laquelle j'avais grandi et où je ne suis jamais retournée. Elle doit tomber en ruine maintenant.

Jamaiplu avait dû me faire voir le visage de Daisy au moment de l'accident. Et, comme moi, ce traumatisme la hantait.

Je ne pouvais rien faire pour elle et ça me désolait. Au moins n'était-elle pas seule, son père l'entourait d'affection. Et Jamaiplu la connaissait. Elle devait avoir cinq ou six ans lorsque c'était arrivé.

Il la connaissait. À en croire ce que j'avais appris sur les corbeaux et leur longévité, Jamaiplu avait donc au moins vingt ans d'âge.

Penser à lui adoucissait un peu la blessure du souvenir.

Comme si nos pensées se croisaient, le bip de mon téléphone m'annonça un message. De Daisy : « On se revoit ? »

Je pris mon temps avant de répondre : « Je vais essayer. »

Une réponse de lâche. L'honnêteté aurait été d'écrire : « Je ne peux pas. Blocage pour conduire. Désolée. »

Les grandes décisions sont rapides à prendre, après de longues et tumultueuses négociations avec soi-même.

Je mis une semaine à me convaincre que je pouvais le faire.

Ensuite, je passai trois jours à chercher désespérément mon permis dans le fatras de mes papiers.

Et enfin, tremblante, le souffle court, je louai une voiture sur Internet.

J'allai en taxi jusqu'à la ville et pris possession de la voiture, le modèle le moins cher et couvert par une assurance tous risques, si jamais j'avais un problème.

Ça ne revient pas comme le vélo, la conduite. Je dus me concentrer un bon moment avant de démarrer.

Je parcourus la trentaine de kilomètres qui me séparait de chez moi à une allure d'escargot, klaxonnée au passage par des automobilistes excédés de ma lenteur.

À l'arrivée, j'étais en sueur. Mais je l'avais fait ! Je l'avais fait !

Bella ne comprit pas exactement pourquoi je sautillais comme une gamine, hilare, et crut à une promesse de promenade. *D'accord, on va se balader, on va fêter ça !* Le cœur léger, je pris le chemin des bois, la chienne gambadant comme une folle autour de moi. Dieu merci, la chasse y était interdite et nous pouvions vagabonder à notre guise, en toute sécurité.

Ce fut une longue et belle promenade, malgré le froid qui commençait à piquer. Je ne savais pas que ce serait la dernière que nous faisions ensemble, Bella et moi.

Le lendemain matin, je me levai aux aurores, et allai améliorer ma conduite sur les petites routes aux alentours du village, quasi désertes à cette heure. Mais je repris mon vélo pour effectuer les rendez-vous prévus ce jour-là.

Ma tournée terminée, j'envoyai un message à Daisy, la prévenant que je serais chez elle en milieu d'après-midi. Je décidai que Bella serait du voyage, car depuis que je l'avais adoptée, elle ne m'avait jamais accompagnée nulle part, hormis dans les bois voisins, et je savais que Daisy apprécierait sa présence.

Totalement excitée par cette perspective, elle bondissait comme un jeune chiot et j'eus quelque difficulté à lui passer son harnais. Qu'elle ne portait jamais. Elle ne se calma qu'une fois dans la voiture et, pendant le trajet, s'endormit sur la banquette arrière.

Une fois de plus, le ciel annonçait de l'orage, des nuages d'un gris sale montaient de l'horizon.

Lorsque nous arrivâmes au hameau, il se mit à pleuvoir dru. Deuxième fois que je venais, deuxième fois qu'il pleuvait. Un microclimat ? Cela me fit sourire.

La chienne s'était réveillée et collait son museau à la vitre.

Comme je garais la voiture en face du portail, un corbeau se posa sur le capot. Grip ou Jamaiplu ? À travers les gouttes qui s'écrasaient sur le pare-brise, je reconnus Jamaiplu. Bella aboya mais l'oiseau ne bougea pas, me fixant intensément.

Il me disait quelque chose, et je n'arrivais pas à comprendre. Juste l'image d'un endroit sombre, menaçant... comme une cave.

— Que veux-tu dire ?

Un éclair zébra le ciel, Jamaiplu battit des ailes, l'instant d'après le tonnerre éclata et l'oiseau s'envola. Laissant Bella dans la voiture, j'allai sonner à l'Interphone, sous la pluie battante.

Personne ne répondit. Daisy savait pourtant que je venais, elle m'avait texté qu'elle m'attendait. Sans doute était-elle seule dans la maison et dans l'impossibilité de m'ouvrir…

Je sonnai une nouvelle fois, lorsque quelque chose passa entre mes jambes. Je sursautai et découvris Bel Œil le chat. Ou plutôt Murr. Il fit quelques passes contre mes mollets, le nez levé vers moi. Il dégoulinait de pluie et avait une allure encore plus misérable.

Son œil bleu ne me quittait pas. Avait-il quelque chose à me dire ? Quelque chose d'assez important pour s'aventurer ainsi sous l'orage ?

Il émit un miaulement rauque et trottina le long du mur, indifférent à la pluie. Il s'arrêta un instant, me regarda et miaula de nouveau.

D'accord. Il voulait que je le suive.

Je contournai à sa suite la propriété, complètement trempée, mes pieds s'enfonçant dans la boue du chemin. Jusqu'à une petite porte, à demi dissimulée sous le lierre. Sous laquelle Murr se glissa.

Je contemplais la porte, un peu stupide, me demandant ce que je faisais là, transpercée par cette pluie qui ne faiblissait pas, lorsque j'entendis un miaulement rauque. Je levai les yeux et vis le chat perché sur le mur, me fixant de son œil unique, impassible sous la pluie.

Entre.

Je l'entendis aussi clairement que s'il me l'avait chuchoté à l'oreille.

Je n'allais pas pénétrer dans une propriété privée, en douce, comme une voleuse. Je n'avais rien à faire là, Daisy avait certainement eu un contretemps. J'allais faire demi-tour, quand un chien aboya de l'autre côté. Barry, le setter. Le chat disparut d'un bond. Les aboiements se rapprochèrent, une patte griffa frénétiquement le bois de la porte. Le chien se mit à gémir.

L'image du champ de marguerites resurgit. Un violent sentiment de tristesse me traversa, qui se transforma en une vague de douleur mentale.

Daisy. En danger... Daisy...

Comme je tournais le loquet, la porte s'entrouvrit légèrement, et j'aperçus le museau de Barry qui pointait dans l'entrebâillure. Je dus pousser de toutes mes forces pour avoir suffisamment d'espace et m'y glisser.

Quand Barry se précipita vers moi, je vis qu'il était enchaîné à un arbre. Il posa ses pattes sur ma poitrine, manquant me renverser.

Je courus vers l'entrée de la maison et frappai de toutes mes forces. Je criai plusieurs fois le nom de Daisy. Mais la maison semblait déserte. Et puis je remarquai que la Range Rover de Pierre n'était pas garée dans la cour.

Je ne savais plus quoi penser, tous ces signes, toutes ces images n'avaient aucun sens. Pierre était sans doute parti en ville avec sa fille, et elle avait oublié de m'en avertir.

Je n'avais plus qu'à rebrousser chemin par la porte du jardin. Comme je passais devant lui, Barry se mit à gémir. Je lui caressai la tête et il ferma les yeux. Pourquoi avoir laissé le chien dehors, attaché ? Il ne risquait pas de se sauver. Ça ne leur ressemblait pas. Un événement grave s'était peut-être produit, qui nécessitait un départ dans l'urgence ?

Mais cela ne me regardait pas.

Le seul point positif – et quel point ! –, c'est que je m'étais remise à conduire.

La pluie avait transpercé mes vêtements, mes chaussures gorgées d'eau faisaient floc floc à chaque pas, et je me mis à éternuer. Se libérer d'une phobie contre un bon rhume, finalement, je ne perdais pas au change.

J'allais me glisser dans l'entrebâillement de la porte lorsque quelque chose de noir et de vibrant se jeta sur moi. Une aile me gifla le visage. J'eus le réflexe de me protéger les yeux.

Jamaiplu.

Jamaiplu voletait au-dessus de moi en poussant des cris rauques. Jamaiplu ne voulait pas que je parte.

Je commençais à en avoir marre.

— Il n'y a rien, personne, ici ! Fous-moi la paix ! hurlai-je. Fous-moi la paix !

Mais, au moment où Jamaiplu se posait sur le mur, me libérant le passage, je sentis une vive douleur au pied. Murr me plantait ses crocs dans la cheville. Je l'envoyai balader d'une ruade et il rebondit un peu plus loin, sans cesser de me fixer de son œil bleu.

— Toi aussi, fous-moi la paix ! Sale matou !

Des gouttes de sang perlaient à travers mon collant. Comme une imbécile, je m'étais habillée en fille, avec jupe, petits talons et trench-coat entièrement perméable.

Mais je ne comprenais pas. Pourquoi m'attaquaient-ils ?

La réponse arriva aussitôt. L'image d'une cave remplie d'une ombre épaisse. Puis l'ombre se dissipa, révélant le visage amaigri d'une petite fille, les yeux rouges de larmes.

— Qui est-ce, bon sang, qui est-ce ?

Jamaiplu s'envola du mur et alla se poser dans l'arbre auquel Barry était attaché.

— Qu'y a-t-il ici ? Merde !

Le corbeau prit son envol et disparut à l'arrière de la maison, où le jardin bien entretenu laissait place à un terrain à l'abandon. De hautes herbes et des buissons échevelés y avaient poussé sans contrainte.

Je vis Murr s'y diriger et s'enfoncer dans les buissons.

La raison, s'il m'en était resté une once, m'aurait fait partir en courant, mais je savais, au plus profond de mon être, que les animaux ne mentent jamais. Il y avait là quelque chose que je devais découvrir, au risque de passer pour folle et de devoir rendre des comptes au propriétaire.

J'essuyai d'un revers de main mon visage dégoulinant et suivis le chemin emprunté par le chat.

L'arrière de la maison, un gros mur aveugle recouvert de vigne vierge, ne possédait aucune fenêtre, juste une très vieille porte en bois, à laquelle on accédait par une volée de marches qui devaient conduire à la cave.

Murr était posté devant. Aucune fente, aucun interstice ne lui permettait de la franchir. Sans bouger, il émit un de ses longs miaulements rauques.

Je m'approchai et collai mon oreille contre le bois.

Et je crus entendre quelque chose, un cri lointain et plaintif, comme une réponse au chat. Quelque chose de très faible.

Un animal prisonnier ? Un autre chat ? Un copain de Murr ?

Il tourna la tête vers moi et cracha dans ma direction, comme une insulte.

De nouveau, je perçus le cri plaintif et des pleurs. Pas un animal, un être humain.

Je me mis à trembler.

Peur, peur, peur. Partir. Barry aboyait comme un malade au bout de sa chaîne. Puis il s'arrêta, et je reçus l'image floue d'un champ de marguerites.

Daisy, Daisy était enfermée là !

Je hurlai son nom à travers la porte, mais n'entendis que le silence.

Son père l'avait-il séquestrée ? Ça tournait au cauchemar. Je cherchai mon téléphone dans ma poche et me rappelai l'avoir laissé sur le tableau de bord.

Je fis le chemin en sens inverse, tirai de toutes mes forces la petite porte qui s'était refermée sous les bourrasques, puis courus vers la voiture. Au moment où je récupérais mon portable, j'entendis le bruit d'un moteur qui se rapprochait. Il revenait ! Le père de Daisy revenait !

Je m'accroupis derrière la voiture, le souffle court, tremblant de tous mes membres.

La Range Rover apparut au tournant du chemin et j'eus le temps d'apercevoir ses occupants. Pierre Mestrier et Daisy.

Daisy !

Le portail s'ouvrit automatiquement. Le véhicule allait passer lorsque Bella se mit à aboyer furieusement. Ce qui attira immédiatement l'attention de Pierre. Il coupa le moteur et descendit de la Range.

J'étais coincée, prise au piège. Je m'aplatis contre la terre humide et me glissai sous ma voiture, de la boue jusque dans les narines.

C'est alors que j'entendis la voix de Daisy, pour la première fois :

— Elle est là ?

Une voix dure, nasillarde.

— Doit pas être bien loin. Pourquoi tu lui as donné rendez-vous, putain ?

La portière s'ouvrit et Daisy descendit à son tour de la Range.

Sur ses deux pieds.

— J'avais oublié. Ça arrive !

Bella aboyait frénétiquement et me transmettait sa peur. *Peur, peur, peur.*

Pierre s'approcha de ma voiture, je l'entendis ouvrir la portière. Aboiements, puis un violent grognement, puis un long hurlement plaintif. Douleur, douleur dans ma tête. Puis le silence.

L'obscurité envahit mon esprit. *Bella est morte. Bella est morte !* Je retiens ma respiration, mes dents claquent, je perds tout contrôle, un liquide chaud me coule entre les cuisses, je me suis pissé dessus.

Je ne vois que les pieds de Pierre, qui piétinent à cinquante centimètres de moi.

Et soudain, mon portable se met à sonner.

Je suis dans un tel état de sidération que je perçois la sonnerie comme étouffée, lointaine. Je ferme les yeux. Lorsque je les rouvre, Pierre, accroupi, me regarde en souriant, son portable à l'oreille.

— Allô ? allô ? Que fabriquez-vous là, Adeline ? Ça doit être très inconfortable.

Les jambes de Daisy apparaissent dans mon champ de vision.

— Qu'est-ce qu'on fout ?

— Je gère. Allez, Adeline, soyez raisonnable, sortez de là !

Même si j'avais voulu, je suis incapable du moindre mouvement.

— Elle veut pas sortir, la balafrée ?

Daisy finit sa phrase par un rire court et moqueur.

— Aide-moi, au lieu de ricaner.

On me tire par les jambes, violemment, m'extirpant de ma cachette, à plat ventre dans la boue.

Je relève péniblement la tête et vois que Pierre tient un couteau de chasse à la main, qui goutte encore du sang de Bella. Bella éventrée, égorgée. Les larmes m'aveuglent.

— Pressons, on va pas rester sur le chemin.

Le ton est calme, tranquille. Je sais que je vais mourir.

Il m'attrape brutalement par le bras, me force à me relever et me colle un revolver sous le nez.

— Ta clef !

Comme je ne réagis pas, il m'arrache la clef de voiture que je tiens serrée dans mon poing et ordonne à Daisy :

— Va garer la Range.

Un croassement retentit, il n'y prête pas attention, je vois Jamaiplu tournoyer dans le ciel, Grip volant non loin de lui.

Ils veulent me dire quelque chose que je n'entendrai jamais. Pierre me frappe violemment. Noir.

J'ouvre les yeux, mais c'est toujours le noir autour de moi... J'ai mal à la mâchoire, là où il m'a frappée. Mes mains sont liées dans mon dos et je suis allongée sur le ventre. Je parviens à me redresser. La cordelette qui m'entrave est serrée, mais j'ai les poignets fins et je parviens à m'en libérer. Mes pieds sont nus, ils m'ont pris mes chaussures.

Curieusement, mes émotions sont comme engourdies, j'agis instinctivement, sans réfléchir. Ma vision s'adapte peu à peu à l'obscurité. Je suis dans la cave. Elle paraît vaste, elle doit occuper toute la surface du rez-de-chaussée.

— Il y a quelqu'un ?

Ma voix résonne dans le silence.

— Oui...

Un murmure, quelque part, non loin de moi...

Mon cœur bondit dans ma poitrine. J'essaie de découvrir d'où vient la petite voix épuisée et finis par apercevoir, au fond de la cave, une forme plus claire, tassée sur le sol.

Je cours vers elle, butant au passage contre une caisse en bois, et m'étale dans la poussière.

C'est elle. Le visage de la vision. Les animaux ne mentent jamais.

Une petite fille roulée en boule contre le mur. Elle lève vers moi un visage creusé, l'œil hagard.

— Ça va aller... Ça va aller...

En prononçant ces mots, je sais que les chances de nous en sortir sont infimes et que nous allons certainement mourir toutes les deux.

Je m'approche, caresse ses cheveux poussiéreux, elle se jette dans mes bras, m'étreignant de toutes les forces qui lui restent.

Malgré la pénombre, je distingue les motifs de la robe qu'elle porte. Une robe en loques, au tissu fleuri : des marguerites.

Barry. Triste. Marguerites.

— Comment tu t'appelles ?

— Lucie.

— On va partir, Lucie.

— Non.

— On va y arriver.

En réponse, elle pose dans ma main quelque chose de lourd et froid : une chaîne.

Ces deux monstres l'ont enchaînée à un gros anneau fiché dans le mur. Un bracelet de fer à la cheville. Je sens la serrure sous mes doigts.

Un intense sentiment de désespoir m'envahit. Nous sommes seules. Personne ne viendra nous aider. Ils vont revenir. Ils sont partis abandonner ma voiture quelque part, détruire mon portable, jeter le corps de Bella dans un fossé. Effacer toutes les traces de ma présence.

C'est alors que je sens quelque chose me courir le long de la jambe. Une araignée, sans doute. Non, c'est un petit corps chaud, palpitant.

Une souris.

Cette présence dérisoire me calme instantanément. Je projette une onde amicale dans sa direction. Elle s'immobilise sur mon mollet.

Je chuchote mentalement : *N'aie pas peur.*

Communiquer avec une souris est délicat, son tout petit cerveau transmet peu d'informations à la fois.

Non. Gentil, pas méchant.

Je lui demande : *Porte ? porte ?*

Je visualise toutes les sortes que je connais. En bois, en fer, de toutes les couleurs possibles.

La réponse est longue à venir, mais elle me parvient nettement : *Oui. Porte.*

Je dois trouver la porte qui donne dans la maison. Vite.

Le petit rongeur quitte mon mollet et file droit en face de nous, s'effaçant dans la pénombre.

Je suis tant bien que mal son trajet et me heurte à un mur.

— Saleté de souris !

Porte ! porte !

Je suis à la fois désespérée et exaspérée. Et puis je devine un filet de lumière, un peu plus haut. En levant les yeux, j'aperçois les contours d'un vasistas, occulté par un tissu noir, mais dont l'un des coins, distendu, laisse passer cette minuscule traînée lumineuse.

J'arrive à saisir le tissu, tire dessus comme une malade, m'écorchant les coudes au passage. Il cède et je vois un bout de jardin. La pluie a cessé. Il fait gris mais le jour parcimonieux qui pénètre dans la cave me remplit de joie. Je me tourne vers Lucie et lève un pouce dans sa direction.

La vitre. Je dois casser la vitre.

Je découvre à présent un fatras d'objets accumulés dans un recoin. Vieilles chaises boiteuses, cadres vides, matelas éventrés.

Et un porte-bouteilles. À l'ancienne. En métal. Celui cher à Man Ray.

C'est lourd, et je suis physiquement épuisée. Mais je parviens à le tirer sous le vasistas. Je retourne récupérer une chaise à trois pattes et j'entreprends d'escalader le porte-bouteilles. Les pointes de fer me percent doucement la plante des pieds.

La douleur, OK. La mort, non.

La première fois que je balance la chaise dans la vitre, je perds l'équilibre et pars à la renverse. Je reçois la chaise sur la tête. J'entends Lucie pousser un petit cri.

Ça va. Ça fait un mal de chien mais ça va.

Je pense « mal de chien », je vois Bella égorgée et je me mets à pleurer. Ma douleur se transforme en rage.

Sous l'effet de l'adrénaline, je repositionne le porte-bouteilles et reproduis la manœuvre. Avec toutes les forces qu'il me reste.

La chaise brise la vitre. Je tombe de nouveau mais je m'en fous. J'ai les pieds en sang mais je m'en fous.

Des morceaux de verre encadrent le vasistas. Je dois sortir par là, je sais que je peux y arriver, je suis maigre, merci la nature de m'avoir faite anguleuse, plate, étroite.

Je préviens Lucie que je dois sortir mais que je reviens, je reviens, avec de l'aide. Elle s'accroche à mon cou. Je reviens… Tu vas rester un petit peu seule, pas longtemps. Je prie le ciel pour que ce soit vrai.

— C'est quoi ton nom ?

— Adeline. Je m'appelle Adeline, et je reviens le plus vite possible.

Elle me regarde m'éloigner, en retenant ses pleurs.

Lorsque je réinstalle mon échelle de fortune, ce foutu porte-bouteilles qui me crucifie la plante des pieds, je vois apparaître, dans l'encadrement du vasistas, la silhouette efflanquée de Murr. Non, pas Murr, c'est le nom que lui ont donné ces deux ordures, Bel Œil. Il inspecte soigneusement l'endroit et saute d'un bond impeccable qui l'amène à côté de moi. Sans me prêter la moindre attention, il se dirige vers Lucie.

— C'est Bel Œil. Un ami.

— Pas peur.

Je vois le chat s'étirer devant elle, puis s'asseoir à ses pieds. Au moins, elle n'est pas seule. J'ai envie de savoir ce que Bel Œil a à me dire, mais le temps presse.

Je dois passer par le vasistas. Des bris de verre m'entaillent les mains, mais je ne sens pas la douleur. Et j'y parviens, du premier coup. Quelques coupures aux cuisses en prime.

Je cours vers la porte du jardin, le plus vite que je peux, mes pieds me font souffrir le martyre. Bizarrement, dans cet état d'urgence absolue qui m'anime, je trouve le temps de penser à la petite sirène et à ses pieds déchirés par la

Sorcière des Mers. Mes sorciers à moi ne sont certainement pas loin.

Je regarde le ciel, en quête de mes corbeaux. Aux abonnés absents.

Je rejoins le chemin qui mène au village. Je commence à fatiguer, mais pas question de ralentir. J'atteins la route en clopinant, je sais qu'on peut me suivre à la trace, le sang jalonnant mon passage.

Une voiture, il faut que quelqu'un passe, c'est notre seule chance. Sur une route que j'ai parcourue sans croiser un seul véhicule. Je m'immobilise, à l'écoute du moindre bruit.

Sans doute porteur d'autres orages, le vent n'est pas retombé. Puis un ronronnement de moteur, très loin... du moins, je crois. Et, d'un coup, me traverse l'idée glaçante que ce sont eux qui reviennent.

Je me cache dans le fossé à moitié rempli d'eau.

Le bruit se rapproche. Et je le reconnais. Mon père possédait une moto, une Harley. Le son du moteur est reconnaissable entre mille. Je m'extirpe du fossé, dégoulinante d'eau boueuse.

La moto est à une centaine de mètres, roulant à vive allure. Je me plante au milieu de la chaussée. Ou ça passe, ou je casse.

Et soudain, fonçant du ciel comme deux mini-météores, Jamaiplu et son fils survolent la moto, qui se voit obligée de ralentir. Sous son casque intégral, le conducteur fait des grands gestes d'une main pour chasser les corbeaux, mais il doit s'arrêter pour ne pas perdre l'équilibre. À quelques mètres de moi.

La vision a dû le paniquer. Une femme en loques, le visage balafré, les mains et les pieds en sang, les bras en croix devant lui.

— Téléphone, téléphone, je dois téléphoner. S'il vous plaît.

Je parle d'une voix hachée, je dois ressembler à une démente.

Il relève la visière de son casque, il est jeune, la trentaine, porte une grosse barbe à la mode, affiche un air d'incompréhension.

— Téléphone, s'il vous plaît, vite.

— *I don't understand. What happened ?*

— *Phone, phone, please…*

Comment dire « c'est une question de vie ou de mort » ? Mon anglais est plutôt limité.

— OK…

Il coupe son moteur, descend de la Harley et extirpe un téléphone portable de son blouson.

— *Number ?*

Merde. Quel numéro, la gendarmerie ? Les flics, ça prendra trop de temps.

Jamaiplu et Grip ont disparu, leur mission accomplie. Mais qui appeler ?

Et puis les quelques neurones qui ne sont pas bloqués par le stress me donnent la solution. Rudzinski. Un gendarme à la retraite que j'ai pour client. Pourvu qu'il soit chez lui. En plus, il est un peu sourd.

— Allô ? C'est qui ?

— Adeline, la kiné.

— Qui ?

— Adeline, monsieur Rudzinski.

Je hurle dans le téléphone.

Je finis par lui faire comprendre l'urgence de la situation, et heureusement il me croit. Depuis huit ans que je le traite, il sait que je n'ai rien d'une affabulatrice. Il appelle la gendarmerie. Il me conseille de partir.

Je rends son téléphone au motard.

— Merci, merci, *thank you, thank you so much.*

Je l'embrasse sur la joue, me cognant contre son casque. Il a un léger mouvement de recul. Je me souviens que je dois puer l'urine, entre autres parfums.

— *You want to come with me ?*

— *No, thank you, no.*

— *Are you sure ? You're injured… don't stay like that.*

— *No, thank you.*

C'est alors que j'entends un autre bruit de moteur. Je suis certaine que c'est eux. La panique déferle en moi comme une vague paralysante. J'entends mes dents claquer.

— Vous pouvez rester cinq minutes ? *Five minutes, please, please.*

— *OK. Calm down… It's OK… It's OK.*

Il me parle sur le ton qu'on prend pour calmer un animal.

La Range Rover se rapproche, arrive à notre hauteur. Le motard me dévisage, de plus en plus perplexe. Ma chance, c'est d'être tombée sur un calme. Un homme de sang-froid.

La Range ralentit, je sais qu'ils nous regardent, je baisse les yeux, il y a sûrement de la haine dans leurs regards. Puis la Range poursuit sa route, abandonnant l'idée de rejoindre la propriété.

Le soupir de soulagement que je pousse ressemble à un cri. Je m'assieds par terre, libérée d'un poids énorme.

— *What the fuck ?*

— *Sorry… sorry… Police will come. Police.*

— *Police. Why ?*

Je perçois une touche de peur, de méfiance dans sa voix. Je peux le comprendre. Il est en territoire étranger, il n'a aucune envie d'être mêlé à ça.

Je n'ai pas la moindre idée du temps que vont mettre les gendarmes à arriver sur les lieux. La gendarmerie est à quarante kilomètres… minimum une demi-heure ? Sur ces routes tout en virages ?

Avant de ré-enfourcher sa moto, le motard ouvre son coffre et me tend une bouteille d'eau.

Que je vide d'un trait.

— *Merci. Thank you...*

— *I am Derek.*

— Adeline... Je ne vous oublierai pas, Derek... Jamais.

Il ne comprend pas et me répond : « *Nice to meet you too* », machinalement.

— Oh oui, heureuse de vous avoir rencontré, Derek.

Et je repense à Lucie, seule, enchaînée dans la pénombre. Non, pas seule, avec Bel Œil. J'espère qu'il est resté près d'elle. Je suis sûre qu'il est resté près d'elle.

Derek me fait un dernier signe de la main, met le contact et démarre.

Je le regarde s'éloigner alors que les premières gouttes d'eau du prochain orage se mettent à tomber.

Les idées vous traversent, vous avertissent, mais vous foudroient parfois. Celle qui me vient à l'esprit est d'une logique foudroyante.

Ils attendent, pas loin, planqués, que le motard reprenne sa route. Si les gendarmes n'arrivent pas très vite, ils auront le temps de finir le travail.

Une balle pour moi, une autre pour Lucie. Ou alors, le couteau. Plus de témoins, plus de traces.

Je rassemble mes forces et pars en courant vers la maison. Je me faufile tant bien que mal à travers le vasistas et tombe lourdement sur le dos.

J'entends un cri.

— C'est moi, Lucie, ça va... ça va.

Bel Œil est couché sur ses genoux. Lorsqu'il me voit, il se lève et disparaît dans l'ombre.

Je la prends dans mes bras, la berce doucement. Je sens ses petits os fragiles percer à travers le tissu de la robe.

— On va nous sauver, hein... Bientôt. Écoute-moi... Si jamais les méchants reviennent, ne crie pas, ne m'appelle pas... Je serai là... Je vais me cacher... Même si tu entends du bruit, tu dis rien, promis ?

Elle fait oui de la tête, mais je lis la peur dans son regard.

Je vais récupérer parmi les éclats de verre tombés au sol deux gros morceaux triangulaires, si pointus que je m'érafle le doigt en les ramassant.

Soudain Bel Œil me passe entre les jambes et bondit, traversant d'un saut le vasistas. Ils arrivent. J'entends le moteur de la Range. Puis le silence.

Je fais un dernier petit signe de la main à Lucie, et cours me cacher derrière l'empilement d'objets au rebut.

Ça s'affaire au rez-de-chaussée. Leurs pas martèlent le plancher. Je vais avoir à tuer, ou du moins à blesser gravement, et je n'ai que ces deux bouts de verre, que je serre si fort qu'ils m'entaillent les paumes.

J'ai le souffle court, mon cœur bat la chamade, les pas se rapprochent, je pense à Lucie et j'essaie de me calmer. C'est eux ou nous. Frapper à la gorge, avec mon poids plume ? dans le dos ? Non, la cuisse, la fémorale. Commencer par l'homme. Le plus fort, commencer par le plus fort.

Leurs voix me tirent brutalement de mes réflexions de survie.

— Elle est passée où, cette connasse ?

La voix de Daisy. Dure, nasillarde.

— Je m'occupe de la gosse. Surveille les arrières. Remonte, je te dis ! Remets le moteur en marche.

J'entends Daisy remonter.

Mestrier passe, sans me voir, à un mètre de moi. Je me recroqueville derrière un vieux fauteuil.

Il s'avance vers Lucie. Je l'entends qui pleure.

Je sors lentement de ma cachette. Le couteau. Il le tient à la main.

Environ dix mètres nous séparent.

— Chiale pas, ça sert à rien.

Je vais frapper au dos, je dois frapper au dos… à la gorge. La jugulaire. Ne pas rater.

Je m'approche lentement de lui. Il tient Lucie par le cou, elle se débat, mais, courageusement, elle ne m'appelle pas.

L'image de Bel Œil bondissant et mes pieds qui collent au sol, poisseux de sang, me ralentissent. Je me rapproche, Lucie hurle et je deviens Bel Œil. Ma griffe de verre pointée en avant, je l'atteins à la gorge, mais trop bas, je l'entaille à peine. Sous le coup, il relâche l'enfant, se tourne d'un mouvement rapide, et je lis la surprise dans ses yeux. Ça lui paraît tellement incroyable. L'odeur du sang, du sien et du mien mélangés. Envie de vomir. Il se jette sur moi, de tout son poids, le couteau brandi très haut. Je ne me rappelle plus ce que j'ai fait. Son regard au-dessus de moi s'agrandit, ses yeux chavirent, il pousse un hurlement de bête.

Il s'étale sur le dos, les mains pressées sur son sexe. Je vois le sang jaillir comme d'un tuyau… Ma griffe de verre est fichée dans son bas-ventre, si profondément que je ne pourrai pas l'en retirer. Lucie, blanche comme de la craie, ouvre la bouche sur un long cri silencieux.

Daisy déboule dans la cave, en hurlant le nom de Pierre. Elle se fige en le découvrant en train de se vider de son sang près de moi, qui suis prostrée, incapable de la moindre réaction.

C'est maintenant que nous allons mourir.

Je me traîne péniblement vers Lucie, la prends dans mes bras et ferme les yeux.

Puis j'entends Daisy pousser un cri bestial, comme un rugissement. Un silence puis une galopade dans l'escalier.

Lorsque je rouvre les yeux, nous sommes seules avec le monstre qui agonise. J'ai tué un homme.

Je suis sur un lit d'hôpital, on m'a perfusée, bien que mes blessures soient superficielles. J'ai dû dormir ; par la fenêtre, je vois un croissant de lune, noyé dans les nuages. Une infirmière vient me faire une piqûre, je veux parler, mais sombre doucement dans le sommeil pesant des somnifères.

Le lendemain, je me sens mieux, prête à bouger. À me lever.

Je brûle de savoir où est Lucie, comment elle va.

Un peu plus tard, je reçois la visite de deux officiers de la gendarmerie, accompagnés de M. Rudzinski, le gendarme retraité dont l'intervention a permis de nous secourir. Suis-je capable de répondre à leurs questions ? Oui, bien sûr. Puis-je leur raconter le plus précisément possible ce qui s'est passé ?

Avant tout, je demande des nouvelles de l'enfant.

On me répond qu'elle est hors de danger, prise en charge dans un établissement spécialisé. Ce sera long, mais elle s'en sortira.

Je leur fais alors le récit fidèle des événements et de leur enchaînement, passant évidemment sous silence le rôle qu'ont joué deux corbeaux, un chat borgne et un petit rongeur. Sans oublier Barry, le doux setter. Et lui, qu'est-il devenu ?

— Aucune idée. La SPA, peut-être, me répond l'officier, avant d'enchaîner : Vous avez fait preuve d'un grand courage, mademoiselle, d'un courage peu commun.

— Obligée, monsieur, obligée.

J'ai encore beaucoup de questions à poser, mais ils écourtent la visite en me souhaitant un prompt rétablissement, me laissant seule en compagnie de M. Rudzinski.

Il désigne un grand sac plastique sur la chaise.

— Je vous ai apporté des vêtements, c'est à ma femme. C'est un peu grand, pas vraiment à la mode, mais ça vous ira. Et des chaussons.

— C'est gentil d'y avoir pensé... et... et Mestrier ?

— Mort en arrivant à l'hôpital... Vous avez sauvé une vie, Adeline... c'est tout ce qui compte.

— Et sa fille ? Ils l'ont retrouvée ?

— Dans la nature... C'est une question de jours.

— Je ne veux pas rester ici... je veux rentrer...

— Du repos, d'abord... Et puis les journalistes sont là, vous faites la une des journaux, il y a même un gars d'une chaîne d'infos...

— Oh non !

— Vous êtes une héroïne ! Ça ne court pas les rues. Je vous ai pris un portable aussi, le plus simple, mais bon...

C'est alors qu'un homme en blouse blanche entre dans la chambre, l'air bienveillant, un toubib, sans doute.

— Bonjour, Adeline... Je suis psychologue...

Rudzinski en profite pour prendre congé, m'assurant qu'en cas de besoin il sera toujours là.

— On peut parler de ce qui s'est passé ? Du moins, si vous le souhaitez...

Que puis-je lui dire ? La même chose qu'aux gendarmes.

— Je crois que je vais bien... Enfin, pas trop mal...

— Vous avez subi un énorme traumatisme... qui ne va pas s'effacer d'un coup.

— Je sais... mais je vais m'en sortir... Je vais m'en sortir...

Je passai une nuit entrecoupée de cauchemars dans lesquels Mestrier égorgeait Lucie sous mes yeux, si réalistes que je me réveillai en hurlant, ameutant tout le personnel du service.

Et j'acceptai enfin la piqûre libératrice qui me donnerait le sommeil.

J'émergeai tard dans la soirée, et appelai Rudzinski pour lui demander de venir me chercher le lendemain. Mes blessures cicatrisaient vite, faire quelques pas m'était beaucoup moins pénible. Je voulais quitter l'hôpital, retrouver la maison et récupérer Barry.

— Je n'ai aucune envie de les voir !
— Vous pouvez difficilement y couper. Une photo, un mot, et on file, me conseilla Rudzinski, ma voiture est juste devant.

Il pleuvait toujours et j'essayais de faire bonne figure devant les trois ou quatre photographes qui me mitraillaient. Un journaliste tenta de m'interroger, Rudzinski lui répondit d'une voix sans réplique – trente ans de gendarmerie – que j'étais épuisée et que je ne dirais rien.

— Merci, monsieur Rudzinski, merci d'avoir pris soin de moi.

Des voisins avaient eu la gentillesse de déposer sur le seuil un sac de provisions.

La maison. Vide. Morte.

Mon répondeur était saturé de messages que je n'écoutai pas. Des poils de Bella s'accrochaient encore au canapé. Et cela me fit fondre en larmes.

Je déambulais à travers les pièces à l'aide d'une canne fournie par l'hôpital et scrutais régulièrement le ciel pour tenter d'apercevoir mes corbeaux.

Vous avez subi un énorme traumatisme... qui ne va pas s'effacer d'un coup...

Il pesait sur ma poitrine, il assombrissait la moindre de mes pensées.

Vivante, je suis vivante, Lucie est vivante... Barry est vivant...

Cela me donna l'énergie d'ouvrir mon ordinateur et de relever tous les numéros des refuges de la région. Que j'appelai un par un, tombant parfois sur une messagerie. Le plus souvent, la personne me répondait par la négative – « Non, pas de setter. Un bouledogue, en revanche, nous avons un beau bouledogue encore jeune, si vous voulez. »

Cette nuit-là, je pris les somnifères prescrits par l'hôpital et parvins à dormir trois heures d'affilée. Mais je ne retrouvai un semblant de sommeil qu'aux lueurs de l'aube et m'éveillai quelques heures plus tard avec un gros mal de crâne.

Je tentai de retrouver ma routine, les gestes quotidiens, toilette, café, un peu de ménage, mais je n'en éprouvais aucune envie, tout cela me semblait dérisoire. J'étais en train de changer mes pansements lorsque le téléphone portable donné par Rudzinski sonna.

C'était lui qui m'appelait et sa voix me fit du bien.

— Ça va ?

— Oui, merci. J'ai dormi un peu.

— Parfait, alors, votre clebs… Celui que vous cherchez…

— Barry ?

— Oui, je l'ai retrouvé.

Mon cœur bondit dans ma poitrine.

— Comment avez-vous fait ? J'ai appelé tous les refuges !

— Il a été récupéré par une petite association de Châteauroux. Il est chez moi. Et avec mon chat, c'est pas terrible, il lui crache à la gueule toutes les cinq minutes, mais enfin bon. Vous le voulez toujours ?

Barry se jeta sur moi, me couvrant le visage de léchouilles baveuses. Il était sale, crotté, mais il souriait, tous crocs dehors. Je lui donnai un bain, aussi mouillée que lui, et me surpris à rire. J'étais vivante, Lucie était vivante, et Barry était à mes côtés.

Pour toute sortie, il avait droit au jardin, mais ça le rendait joyeux, il gambadait autour de l'enclos. Je crois que ces deux monstres aimaient ce chien, il était bien traité, amical, sans peur de l'humain.

Le seul fait de les évoquer me fit frissonner. Comme s'il devinait mon état, le setter bondit

69

vers moi, posa ses pattes sur ma poitrine et je m'étalai dans l'herbe humide, sur le cul, sans grand mal. Il en profita pour me laver consciencieusement une oreille. Impossible de résister à de telles chatouilles. Tout en riant nerveusement, je lui envoyai une onde paisible pour le calmer, à laquelle il ne réagit pas, continuant sa sarabande désordonnée autour de moi.

C'est à ce moment-là, précisément, que je me suis rendu compte que quelque chose avait radicalement changé en moi. L'évidence s'est abattue sur moi et m'a laissée pantelante.

J'étais devenue sourde, muette et aveugle. C'en était fini de mes échanges avec les animaux. Je ne vivrais plus jamais cette intimité si particulière qui nous reliait.

Bien sûr, je fis d'autres essais, tous aussi infructueux. Barry sentait l'émotion, le désarroi qui m'habitaient, étendu à mes pieds, ses beaux yeux levés sur moi, triste lui aussi.

Je finis par me dire que le destin m'avait accordé ce don dans un seul but. Sauver un jour la vie d'une petite fille. Cela adoucissait ma tristesse, mais je savais que j'en garderais toujours la nostalgie.

Une semaine passa, le téléphone n'arrêta pas de sonner, des journalistes me pressant de répondre à leurs questions. Je finis par le débrancher.

Je ne regardais plus la télé, par peur de tomber sur des infos qui raviveraient mes angoisses. Barry me rassurait par sa présence bienveillante, il m'aimait bien, je n'étais pas sa maîtresse, mais il m'aimait bien. Je me remettais sur pied, au sens propre. Je repris les balades avec lui, pas longues, dans le bois proche qu'il adorait. Je me disais qu'il n'avait jamais dû sortir de la propriété. Il dormait dans la chambre, sur le tapis.

Je prenais régulièrement des somnifères, pour éviter les cauchemars. Un soir, je ne sais pour quelle raison, peut-être estimais-je que je pouvais m'en passer, je n'en pris pas. Sans doute mon organisme en était-il saturé, parce que je m'endormis immédiatement.

Mais quelque chose me réveilla. Le chien gémissait, le nez contre la porte.

— Doucement, Barry, viens dormir.

Je l'avais pourtant sorti, et c'était un chien très propre. Je l'entendis alors gratter contre la porte fébrilement. Encore un peu engluée dans le sommeil, je regardai le réveil. Il était 1 h 30. Et Barry continuait à gratter.

Je me levai et allai le caresser. Mais il n'avait qu'une envie : sortir.

J'ouvris la porte et le vit bondir dans l'escalier, complètement excité. Et là, mon cœur s'arrêta de battre.

Quelqu'un parlait au rez-de-chaussée.

— Bon chien, mon Barry. Bon chien.

La voix de Daisy.

Je fus prise de vertige et faillis tomber, me retenant de justesse à la rampe.

Retourner sans bruit dans la chambre, fermer au verrou.

Je tremblais sur mes jambes, incapable de mettre un pied devant l'autre. La lumière du salon s'alluma et Daisy apparut, au bas de l'escalier, Barry à ses côtés.

— T'inquiète, je viens juste chercher mon chien.

La voix était moins dure, plus lasse.

Elle me fixait d'un œil vide, ses cheveux sales tombant en paquets le long de son visage amaigri. Elle portait un manteau d'homme trop grand pour elle. Le manteau de son père, celui qu'il avait sur le dos quand ils m'avaient rendu visite.

— N'essaie pas d'appeler les flics, sinon je te tuerai.

Au ton de sa voix, je compris qu'elle était épuisée. Elle n'avait plus assez d'énergie pour nourrir sa haine.

Alors, ma peur s'évanouit. D'un coup. Daisy n'était plus qu'une gamine traquée, prête à tout risquer pour récupérer son chien.

— Je comprends. Barry est un chien formidable… Tellement fidèle.

Ma réponse la désarçonna, elle me regardait en coin, comme un oiseau. Je descendis les marches, elle eut un mouvement de recul.

— Assieds-toi. Tu veux boire quelque chose de chaud ? Il fait très froid, la nuit, en ce moment.

J'allai brancher la bouilloire, sans lui prêter plus d'attention.

Elle s'installa docilement dans le canapé et, d'un bond, Barry s'étala sur ses genoux. Quel âge avait-elle réellement ? Vingt, vingt-cinq ans ? Que lui avait fait son père pour qu'elle soit devenue sa complice ?

— De l'eau. Je veux de l'eau.

Je lui en apportai un grand verre, qu'elle vida d'un trait.

— J'ai faim.

Elle pointa du doigt un bol de fruits sur la table.

— Banane. Et fais-moi un sandwich.

— Désolée, je ne mange pas de viande… Du pain et du beurre ?

Je me disais, tout en lui préparant des tartines, que cette situation était surréaliste, ce dialogue n'aurait jamais dû avoir lieu. La bouilloire siffla et je délayai le café en poudre dans une tasse, y mettant suffisamment de sucre pour en enlever l'amertume.

Lorsque je posai le plateau sur la table basse, elle dormait, la bouche entrouverte, le chien allongé contre elle.

Je suis remontée dans la chambre. Je n'ai donné aucun coup de fil. Je suis restée longtemps éveillée, le moindre bruit me faisant sursauter. Et les vieilles maisons bruissent la nuit, elles craquent, elles gémissent.

Le sommeil m'engloutit au petit matin.

Lorsque je descendis, tard dans la matinée, Daisy était partie, emmenant Barry avec elle.

Je me sentais à la fois soulagée et coupable. Coupable de l'avoir laissée partir. Je savais que ça ne pouvait se terminer que de triste façon.

Quelques jours plus tard, Rudzinski m'appela pour me dire qu'ils l'avaient retrouvée. Au fond d'un ravin profond, fracassée, Barry agonisant à ses côtés.

J'ai pleuré une grande partie de l'après-midi, sans pouvoir m'arrêter. La mort avait suivi mes pas, elle avait guidé ma main, elle était triomphante.

Puisque désormais j'étais seule, sans une pensée amie pour me soutenir, j'ai dilué tous mes somnifères dans un grand verre d'eau après les avoir écrasés soigneusement, j'ai touillé nerveusement le mélange létal et j'ai même rajouté une bonne dose de miel, pour être sûre de tout avaler sans dégoût.

J'ai eu une pensée pour Bella et Barry, dont les petites âmes devaient danser quelque part, pour Lucie qui finirait par s'en sortir, puis j'ai fermé les yeux, j'ai saisi le verre, j'allais m'endormir très vite, sans douleur.

Mais un bruit, que je reconnus immédiatement, stoppa mon geste.

Jamaiplu frappait à la fenêtre, avec force, les ailes battantes. Il dardait sur moi ses petits yeux d'encre. Je ne pouvais plus l'entendre, mais je compris qu'il était en colère.

J'eus le sentiment d'émerger d'un engourdissement profond. J'avais enfin la tête hors de l'eau, et je pris une longue inspiration.

— Jamaiplu ! Tu te souviens de moi, finalement ?

Perché sur le rebord de la fenêtre, il émit un cri bref et rauque. J'allai lui ouvrir, tendis la main pour le caresser, et il me pinça l'index d'un coup de bec. Sec, précis et un peu douloureux.

— Tu as raison, Jamaiplu, je suis vivante.

En guise de réponse, il s'envola comme il en avait l'habitude, très vite, très haut, et disparut dans le ciel.

Je me rappelle avoir vidé le frigo, dévorant tout ce qui était comestible dans la maison, et m'être couchée le ventre plein, trop même. Je n'eus pas besoin de chercher le sommeil, il me prit par surprise au moment où je me demandais s'il restait encore quelques biscuits secs dans le placard du bas.

La sonnerie du portable me réveilla. Ce bon Rudzinski m'appelait régulièrement. Mais ce n'était pas lui. C'était quelqu'un d'un centre de soins. Celui de Lucie. Elle avait demandé à me voir, plusieurs fois. Si je pouvais me déplacer…

D'un seul coup, le soleil entra dans la chambre et, pourtant, j'entendais la pluie tomber. J'ouvris la fenêtre et me mis à rire, sous les gouttes qui éclaboussaient mon visage.

J'envoyai ma plus profonde, ma plus intense gratitude à Jamaiplu, qui m'avait permis de vivre cet instant.

Lucie se jette dans mes bras, s'accroche à moi de toutes ses forces, nous sommes en larmes, sous le regard bienveillant de la pédopsychiatre qui la suit.

On ne se parle pas, on se dévisage, on se tient les mains étroitement. Elle a pris un peu de poids, ses joues ont des couleurs, elle a les cheveux blonds, ses yeux sont bleu foncé.

Le moment de se quitter, déchirant. Pour elle, surtout.

— Tu reviens, dis, tu reviens, tu reviens ?

— Oui, bien sûr, je reviens. Oui. Et je t'appelle au téléphone.

La pédopsychiatre tient à me parler. Elle veut entendre mon récit des événements.

D'où je viens, qui je suis. Ça dure plus d'une heure.

Puis elle m'explique Lucie. D'où elle vient, qui elle est.

Enfant née sous X placée par la DDASS dans une famille d'accueil à Brest, en Bretagne. Enfant joyeuse, intelligente, sociable. Enlevée à l'âge de sept ans sur le chemin de l'école. Elle en a huit, maintenant.

Elle s'étonne que je ne sois pas au courant des suites de l'enquête. Mais elle comprend. Elle me demande si je veux savoir. Elle perçoit la montée d'angoisse que je ressens. Me dit que j'ai le temps.

Je pense à Lucie et retrouve peu à peu mon calme.

— Vous pouvez y aller... Je me sens prête.
— Sûre ?
— Sûre.

Mestrier ne s'appelait pas Mestrier, et n'a jamais été psychiatre. Son vrai métier était agent immobilier, il travaillait en free-lance, et c'est ainsi qu'il a pu louer cette propriété isolée. Il avait enlevé Lucie à des centaines de kilomètres de là, pour brouiller plus facilement les pistes. Daisy était vraiment sa fille, mais elle se prénommait Joanna. D'après ce que les enquêteurs ont trouvé dans la maison, elle n'avait pas de chambre et dormait avec son père. La relation incestueuse devait durer depuis la disparition de la mère, alors que Joanna avait treize ans. Officiellement, la mère s'est suicidée, mais la police en doute fortement.

Les larmes me montent aux yeux.

— Je continue ?

— Oui, s'il vous plaît.

Lucie a été violée de multiples fois et souffrait de malnutrition sévère lorsqu'elle est arrivée au centre. Je ne peux réprimer un sanglot.

— Elle va s'en tirer… Ça va être long, mais c'est une enfant forte. Elle a réussi à survivre dans cette cave. Vous aussi, vous êtes forte, mademoiselle. C'est ce qui lui a sauvé la vie.

On reste silencieuses un petit moment. Je sens la bienveillance et l'empathie que cette femme éprouve pour les autres.

— Et maintenant ? Elle va retourner dans sa famille d'accueil ?

— On va lui en trouver une. Un autre enfant a pris sa place, après sa disparition.

Je ne dis rien, mais elle saisit la question qui me brûle les lèvres.

— Vous pouvez postuler. J'appuierai votre demande.

Les senteurs du printemps me caressent agréablement les narines. Il fait un peu frais, la terre est encore humide des petites pluies nocturnes, le soleil joue à cache-cache avec les nuages et je suis la plus heureuse des femmes.

Lucie court devant moi, tenant en laisse notre récent colocataire.

Un petit chien d'une race indéfinie, au poil rare, aux pattes trop courtes, mais à l'énergie débordante. Trouvé dans une poubelle par le boucher, qui m'en a aussitôt fait cadeau. Lucie l'a appelé Zorro, parce qu'il n'a peur de rien et que deux taches noires autour des yeux lui dessinent une sorte de masque. C'est son meilleur ami. La nuit, elle dort serrée contre lui. Lorsque les cauchemars surgissent, elle gémit et Zorro lui lèche tendrement le visage, ce qui l'apaise. Instantanément.

Nous reprenons le chemin de la maison. Comme chaque fois, je ne peux m'empêcher de penser à Bella, mais sans tristesse profonde, seulement un petit pincement au cœur.

Soudain, un gros corbeau s'approche en piqué, virevolte au-dessus de nous. Lucie a un mouvement de recul, Zorro aboie comme un malade.

— N'aie pas peur, Lucie, il n'est pas méchant.

— Tu le connais ?

— Bien sûr... C'est un type bien...

Lucie me regarde d'un drôle d'air, en se demandant si je me moque d'elle.

— Je te jure... Il s'appelle Jamaiplu.

— Jamaiplu ? C'est rigolo comme nom. Jamaiplu ! Jamaiplu !

L'oiseau remonte dans le ciel, fait un dernier et vaste tour au-dessus de nous et s'envole loin, vite, à la Jamaiplu. Le soleil commence à briller.

Le Boss

J'adore mon Boss. Même plus que ça. Je crois que je ferais n'importe quoi pour lui.

Parce que c'est le plus beau, le meilleur des boss.

Et il sent tellement bon. Même lorsqu'il se met de l'eau de toilette, il sent encore bon.

Une odeur de cuir, de vieux cuir qui a travaillé, avec de la sueur dans les chaussettes. C'est ce que je sens en premier lorsqu'il arrive. Rien qu'en le reniflant, je peux dire quel chemin il a pris et ce qu'il a fait de sa journée. Parfaitement, je me vante pas.

Question flair, nous sommes quand même nettement supérieurs aux Debout.

C'est sans comparaison. Je ne dirais pas que je suis le plus doué, mais je me situe dans la bonne moyenne. Par exemple, hier, je crois que c'est hier, il y a eu une Gamelle et une sortie

Besoins, trop rapide à mon gré, pas vraiment le temps de marquer mon territoire, enfin bon, hier ou pas hier, mon Boss est rentré, rituel de l'accueil, c'est plus fort que moi, son arrivée me remplit d'un tel bonheur que je le manifeste de façon à ce qu'il comprenne immédiatement. Et mon Boss est le plus intelligent des Debout. Il comprend tout. Enfin presque. Bonne odeur de cuir, un reste de fiente de pigeon, un peu d'huile de vidange, ça j'aime moins, et surtout, il embaumait le poulet, un fumet un peu gras, délicieux, toutes les cinq ou six gamelles il mange du poulet. J'adore le poulet.

Mais je mange des croquettes, avec une trace de poulet de temps en temps.

Il y a peu de restes à la maison, parce que mon Boss est célibataire, il fait jamais la cuisine, il mange du tout-prêt. Un peu comme moi. Sauf qu'il choisit. C'est normal, c'est lui, le Boss. J'ai reniflé le poulet, je m'en suis roulé par terre. Il m'a gratouillé le ventre.

Ça j'aime bien. Je l'ai suivi dans la cuisine, il a mis sa petite boîte dans l'espèce de coffre qui sonne quand c'est cuit, et il s'est assis à la table.

Et c'est là que j'ai compris qu'il y avait du nouveau. Un parfum... ce que les Debout appellent un parfum... Ma truffe s'est légèrement rétractée, c'était quand même très fort.

Un côté poivré qui m'a fait plisser les yeux. J'ai aboyé un petit coup, il n'a pas réagi, il a continué à mastiquer sa nourriture, les yeux fixes, dans le vague.

Je connais ce regard. Les Debout et les Quatre Pattes ont pratiquement le même quand ils font une rencontre.

Quand je dis Quatre Pattes, je précise : les Truffards. Parce que les Griffus, quand ils ont ce regard, ça signifie : « Je fais mes besoins, foutez-moi la paix. » Rien à voir avec une rencontre amoureuse.

Je précise aussi, par souci d'honnêteté, que je parle au nom des Truffards mâles, je fréquente peu les femelles, mon Boss ne serait pas d'accord et je n'en ai plus les moyens. Je ne sais plus exactement pourquoi, j'ai oublié. Mais le regard des mâles quand ils hument un souffle d'air dans lequel flottent des effluves enivrants de femelle, ça je connais. Je pratique encore. Et là, mon Boss humait l'air du regard et, bien qu'il ait la truffe en plâtre, comme on dit chez nous, il sentait ce parfum très fort, et je voyais bien que ça le rendait heureux, parce qu'il montrait légèrement les dents, ce qui, pour eux, contrairement à nous, est bon signe.

Ça faisait pas mal de gamelles qu'il n'avait pas eu ce comportement.

La dernière, je me souviens d'elle comme si c'était hier, c'était une Debout assez grande, le poil très long et roux comme celui d'une setter aperçue au cours d'une balade. Entre parenthèses, j'aurais bien engagé la conversation, mais ma laisse était trop courte.

La visiteuse dégageait une senteur sucrée, pour une fois ça ne me déplaisait pas trop, avec un petit fond de vanille qui ne masquait pas sa marque première, une émanation de rousseur qui aurait pu me parler ; s'il n'y avait pas eu cette odeur de Griffu, dominant le tout.

Les Debout parlent beaucoup de la « haine » entre Truffards et Griffus, ils en font même des expressions. Je tiens à rétablir la vérité.

Mes ancêtres en ont sans doute croqué quelques-uns, mais ce n'est pas de la haine, d'abord parce que je ne sais pas ce que c'est exactement et ensuite, parce que, ce qui nous sépare vraiment, c'est un fossé d'incompréhension. Nous remuons la queue, on est contents, ils remuent la leur, ils sont furax. Je ne vais pas citer tous les exemples, ils sont nombreux. Mais par-dessus tout, le Griffu est prétentieux de nature. Il vous regarde de haut, même si vous faites trois fois sa taille. Nous, nous sommes francs du collier, pratiquement toujours de bon poil, eux, c'est fourberie et duplicité. Ça fait patte de velours et, l'instant d'après, c'est toutes griffes dehors. Sans qu'on comprenne pourquoi.

Personnellement, je n'ai jamais eu l'occasion d'en rencontrer, mais j'ai croisé un petit bull français chez des amis du Boss qui n'avait qu'un œil et qui a fini par m'avouer que c'était l'œuvre d'un gouttière particulièrement teigneux. Il y a de quoi se méfier.

Pour en revenir à la Debout au poil roux, je n'avais qu'une peur : que le Boss en tombe vraiment amoureux et que ça vire au sérieux. Qu'elle s'installe à la maison, avec son Griffu.

Et puis finalement, après quelques accouplements très sonores sur le divan et ensuite sur le lit — le bruit que font les Debout en train de frayer, ça m'a toujours épaté, l'avantage c'est qu'ils ne restent jamais collés —, enfin bref, ça a tourné court. On l'a pas revue.

Je me demande ce qu'elle a fait des petits, le Boss n'en a jamais parlé. Parce qu'avec toutes celles qui ont défilé à la maison, il a dû en faire des petits. Par exemple, les Boss du bull borgne, ils ont fait des petits. Pas beaucoup. Deux. Et ils les ont gardés. Ils les ont pas donnés. Ou vendus.

Quand mon Boss m'emmène chez le Debout qui pue le médicament, je peux pas le sentir celui-là, toujours à vous enfiler un petit bâton dans le trou de balle ou à vous piquer avec une grosse aiguille, eh bien il y a souvent des petits à donner ou à vendre. Il y a même leur photo sur le mur.

Donc, ce soir-là, mon Boss dégageait quelque chose que je n'avais encore jamais humé, et il avait son regard de rencontre.

Il en a même oublié la Balade. Je me suis retenu autant que j'ai pu, puis j'ai plus pu et, dans la nuit, je suis allé arroser le plus discrètement possible le paillasson qui est devant l'entrée.

À mon avis, l'arrosage, il s'en serait pas aperçu. Ça avait eu le temps de sécher. C'est la crotte qui m'a trahi. Même si elle était de la même couleur que le paillasson, il l'a tout de suite repérée, le lendemain matin. Il a pris la grosse voix de la Punition, son œil est devenu noir, il a enlevé le chausson avec lequel il avait marché dedans et m'a dit des choses que je n'ai pas entièrement comprises, il m'a attrapé par la peau du cou, oh que j'aime pas ça, et il m'a collé le nez dedans. Du moins, dans ce qu'il en restait. C'est terrible l'effet que ça me fait quand mon Boss est furax. Surtout que c'était vraiment pas ma faute.

Je me suis aplati au sol, oreilles couchées, la truffe pleine de mon odeur de crotte, le cœur plein de tristesse… Je n'ai pas de placard avec un fauteuil blanc où m'asseoir pour ma sortie Besoins, moi. C'est lui qui décide du moment.

C'est normal, c'est mon Boss. Mais là, c'était trop injuste, il m'avait oublié.

Et puis j'ai compris pourquoi. À cause du regard de rencontre. C'était pas sa faute non plus, c'est jamais la faute du Boss.

Il m'a sorti vite fait, la laisse courte, sans un regard vers moi ou un petit mot gentil, comme d'habitude. Je le sentais tendu. J'ai bien essayé de le réconforter en lui léchant la main, c'est salé, c'est bon, mais ça n'a pas marché. J'avais de la peine pour lui.

Mais le soir, il est revenu tout joyeux, il m'a gratté le ventre pendant le rituel de l'accueil, j'ai bondi autour de lui de bonheur, j'ai galopé sur toute la longueur du couloir, une bonne dizaine de fois. Bon, il sentait encore ce parfum que je connaissais pas mais mon Boss m'aimait toujours, c'était ça le plus important.

Le lendemain, j'ai eu droit à la Grande Balade sur le boulevard, celui avec plein d'arbres. Il sifflotait en marchant, il m'a même détaché, j'ai piqué un petit sprint, pas long, une douzaine de troncs aller-retour, en marquant le territoire au passage, ça j'aime bien, arroser en courant, pas lourd, trois gouttes, une carte de visite, quoi.

Et après, le Boss a fait un grand ménage à la maison, il a passé l'instrument à poussière, je le déteste, celui-là, il a mis de l'eau par terre et après il l'a essuyée – je me demande toujours pourquoi il en met par terre si c'est pour l'essuyer –, il a enlevé les draps du lit, puis il les a remis, mais pas les mêmes, il est revenu boire de l'eau dans la cuisine et m'a regardé d'un drôle d'air, en montrant les dents.

Évidemment, je ne me suis pas méfié. Ça n'aurait rien changé, mais je me serais préparé.

Il est venu me récupérer sous la table, m'a traîné jusqu'à la pièce blanche avec le sol qui glisse et m'a collé dans le grand baquet.

Je sais que le Boss pense bien faire, mais c'est pas rigolo. Toutes les bonnes odeurs accumulées pendant des semaines qui disparaissent, autant de souvenirs qui s'envolent, quel gâchis ! Le Boss a l'air si content de me frotter dans tous les sens avec ce produit qui pue, une infection, que je le laisse faire.

Le bon moment, c'est quand il me sèche et qu'il me brosse. Après, je ne peux pas m'empêcher de faire le fou tellement je suis heureux que ce soit fini. Du coup, le Boss est persuadé que j'adore prendre un bain. C'est un des rares malentendus de notre vie commune.

Une fois je lui en ai voulu, pas longtemps, mais j'étais furax. On était partis à la campagne chez sa maman, comme toutes les six gamelles, je l'aime bien, sa maman, elle me donne tout le temps des biscuits, même si le Boss dit que c'est pas bon et que je suis trop gros ; désolé, mais les biscuits c'est succulent, j'en salive rien que d'y penser, bref, la campagne ça me rend dingue tellement il y a à sentir, de partout, de fines odeurs de Fouineur ou de Longues Oreilles, des effluves subtiles de Bec Plume qui donnent envie de devenir chasseur, des senteurs d'herbes que je déguste délicatement, qui vous grattent gentiment l'estomac, et parfois on découvre un trésor, une petite flaque de nectar que pour rien au monde on ne voudrait rater. C'est ce qui s'est passé, j'ai trouvé ma flaque et je me suis roulé dedans, c'était délicieux, un moment d'émotion sans pareil.

Quand je suis revenu, encore sous le coup du plaisir, le Boss a plissé la truffe et m'a fait sortir de la maison en criant que je m'étais encore vautré dans une charogne.

Il a pris le tuyau d'arrosage et m'a passé au jet, c'était froid et ça a duré un petit moment.

C'était d'un triste. Un, parce que ce merveilleux parfum s'était envolé, que je me sentais tout nu, et deux, parce que j'avais mis le Boss en colère et que je ne comprenais pas pourquoi. Alors j'étais furax, puis sa maman m'a filé un biscuit en douce. Et ça m'a calmé.

Je me dis que c'est dommage que les Debout n'éprouvent pas les mêmes plaisirs que nous, au niveau de la truffe. De ce côté-là ils sont vraiment handicapés. C'est pour ça que je n'en veux pas à mon Boss. Surtout que j'ai la chance d'avoir le meilleur.

Ensuite il s'est enfermé dans la pièce blanche, je l'entendais lancer de longs cris sur plusieurs tons, il fait ça quand il est très content. Je ne sais pas comment il peut se mouiller ainsi tous les matins. Vous me direz qu'il y a des Truffards qui aiment l'eau, ça existe, je le reconnais, mais je ne suis pas de cette espèce, déjà sortir quand il pleut, j'y vais à reculons. Je n'apprécie l'eau que dans mon bol.

Il est réapparu l'œil vif, le teint frais, il est vraiment beau mon Boss, je crois que c'est le plus beau de tous les Debout que j'ai rencontrés. Il m'a ébouriffé le poil en poussant des petits jappements aigus, bouche ouverte, et m'a regardé droit dans les yeux.

Je ne connaissais pas ce regard-là, il racontait plein de choses que je ne saisissais pas, mais c'était rempli d'une énergie communicative. Je le sentais heureux. Et moi aussi j'étais heureux.

Je me doutais bien que son état avait un rapport avec la Rencontre. Et mon flair me disait que la Rencontre n'allait pas tarder à nous rendre visite.

Le reste de la journée – j'ai oublié de préciser que ça s'est passé pendant les deux jours de vacances où, d'habitude, on va chez sa maman –, le Boss l'a passé à éteindre et allumer la fenêtre

à images, à vérifier dans le placard glacé si tout
était en place, à parler dans son étui noir qu'il a
toujours à portée de la main, à tapoter les cous-
sins sur le canapé, il m'en a même fait descendre
alors que normalement j'ai le droit, bref, il était
énervé, heureux mais énervé.

Je peux comprendre ça, on ne sait jamais
comment ça va tourner, une Rencontre. Ça peut
aller du meilleur, du moins j'imagine, puisque j'ai
pas l'expérience, jusqu'au pire, coups de dents et
morsures.

Enfin, la sonnette a retenti, il a bondi comme
si on l'avait piqué, et il est allé ouvrir la porte.
Moi, je me tenais un peu à l'écart, la vie privée
du Boss, c'est sacré.

La Rencontre, selon les critères Debout, était
sans doute très belle : blonde et frisée comme un
bichon, déliée comme une levrette et des yeux
de husky.

Elle parlait d'une voix douce, le Boss prenait
la même voix, en plus grave, ça avait l'air de
bien démarrer.

Il l'a fait asseoir dans le canapé, moi j'étais
juste derrière, elle ne m'avait pas encore vu et
le Boss n'avait pas la tête à me présenter. Il est
allé chercher des boissons dans le placard glacé
et, quand il est revenu, j'ai remarqué qu'il avait
un drôle d'air en la regardant.

La Rencontre s'est mise à pousser de petits gémissements comme si elle avait mal, et elle s'est relevée.

Son visage était rouge vif, et ses yeux aussi. Il y a eu un moment de panique. Le Boss lui posait des questions, elle essayait de répondre en gobant l'air comme un poisson hors de l'eau, et puis le Boss s'est pris la tête dans les mains, il s'est précipité sur moi et m'a traîné par le collier jusqu'à la cuisine, où il m'a enfermé.

J'ai rien compris, à part que le Boss était très en colère contre moi.

Les quelques gamelles qui ont suivi, le Boss ne m'a plus parlé, il me sortait sans plaisir, je le voyais, il avait les yeux tristes qui tombaient un peu, et il ne me jetait pas un regard.

La Rencontre n'est pas revenue, mais son parfum était toujours collé au Boss, le soir, quand il rentrait.

Je sais bien qu'il a fait tout ce qu'il a pu. Parce que c'est le plus gentil. Il m'a emmené à la campagne, sa maman m'a donné des biscuits, ils ont parlé en me regardant et on est repartis.

Un soir, il m'a donné du poulet, pas des croquettes, du poulet, cuit, une cuisse, c'était magnifique, il est resté devant moi pendant que je le mangeais.

Je me rappelle plus depuis combien de temps je suis dans le placard avec les grilles. Il y a des

Truffards autour de moi, je ne les vois pas mais je les entends. C'est pas la joie, ici. De temps en temps, des Debout passent devant les grilles, parfois ils repartent avec l'un d'entre nous. Il y a deux gamelles, le petit terrier en face de mon placard est reparti avec une vieille dame. Elle avait l'air gentille, elle m'a même caressé la tête.

C'est bon, les caresses, ça fait du bien.

Je sais que mon Boss va revenir, c'est évident. Parce que c'est le meilleur des Boss.

Alors je l'attends.

Un scénario d'enfer

Cette histoire s'est passée il y a des décennies, et pourtant, en parler m'est toujours aussi difficile. Je sais, vous avez fait un long chemin pour me voir.

Je vais essayer de la raconter telle que je l'ai vécue...

J'avais à peu près votre âge lorsque tout cela a commencé. Je venais de réaliser mon premier film et, si le public n'avait pas été tout à fait au rendez-vous, la critique s'était montrée bienveillante. Disons que j'avais une chance d'en faire un deuxième. Mais, mon producteur ayant fait faillite et étant parti s'installer en Floride, mes projets étaient tombés à l'eau. J'avais sonné à beaucoup de portes, sans qu'une seule s'entrouvre.

Je survivais tant bien que mal grâce aux cours de scénario que je donnais dans une école de cinéma, une institution privée où de jeunes gens payaient très cher pour apprendre les rudiments d'un métier que, pour la plupart, ils n'exerceraient jamais.

Alors, le jour où j'ai reçu un appel de la secrétaire de Maxime Gantier, mon cœur a bondi dans ma poitrine. Vous êtes trop jeune pour le connaître, mais c'était un grand producteur, Maxime Gantier, et on le disait généreux.

— M. Gantier veut vous rencontrer, mademoiselle Hermann. Demain, 14 heures, vous êtes libre ?

Bien sûr que j'étais libre ! Une énorme grippe allait me tomber dessus et je ne pourrais pas donner mon cours.

Je me rappelle m'être pomponnée comme une folle pour ce rendez-vous. Sur les Champs-Élysées, naturellement. J'ai bien dû arriver une demi-heure en avance, et j'ai arpenté l'avenue de haut en bas, les tarifs des cafés dans les brasseries étant pour moi prohibitifs.

« Phénix Productions », en lettres d'or dans l'entrée. Le cœur battant dans l'ascenseur. Je sonne. La porte s'ouvre automatiquement sur la réception. Et là, des hurlements me cueillent dès la porte franchie.

Une femme se roule sur l'épaisse moquette rouge, en pleine crise de nerfs. Ses longs cheveux roux en bataille masquent son visage, la jupe de son tailleur Chanel est à moitié retroussée, et elle vocifère des « connard », « enculé », « fils de pute ». C'est resté gravé, c'est pas tous les jours qu'on voit pareille scène.

Autour d'elle, curieusement, personne ne semble y prêter attention, la réceptionniste fait profil bas, une assistante passe sur la pointe des pieds, portant des boîtes de bobines de films.

Comme je reste tétanisée devant la porte, la réceptionniste m'indique d'un geste discret le bout du couloir. Je contourne tant bien que mal la rouquine échevelée qui égraine un chapelet d'insultes choisies, une porte s'ouvre et une secrétaire me fait signe d'entrer.

Maxime Gantier se lève, un large sourire aux lèvres, la main tendue. On entend toujours, étouffées mais distinctes, les injures qui pleuvent, plus précises : « gros pédé », « petites couilles » et autres gentillesses.

— Je suis ravi de vous rencontrer, mademoiselle Hermann. Christine, apportez-nous deux cafés.

Il ne prête aucune attention à ce qui se passe dix mètres plus loin. Sans doute une cinglée comme on en rencontre de temps à autre dans le métier – ou, du moins, une qui aimerait bien en faire partie.

Je risque un :

— C'est rock'n'roll chez vous.

— Pardon ?

Son regard se durcit, apparemment le commentaire n'est pas à son goût.

Je rectifie le tir immédiatement :

— Moi aussi, je suis très contente. Surprise également.

— Pourquoi ? Vous avez du talent.

Les cris se sont arrêtés, une porte claque, le calme revient. Je le vois soupirer imperceptiblement avec un léger mouvement de tête, comme s'il chassait un nuage.

— J'ai beaucoup apprécié votre film.

— Merci... De votre part, c'est... c'est important.

J'ai l'impression d'en faire un peu trop, mais ça n'a pas l'air de le gêner, au contraire.

— J'ai quelque chose à vous proposer, mademoiselle Hermann...

Sans doute parce que j'étais jeune et enthousiaste, je m'étais imaginé qu'il allait me demander mes projets et m'annoncer qu'il était partant. Il était partant, mais pour autre chose. Et ce n'était pas exactement ce à quoi je m'attendais. C'était une commande, en fait. Il avait un vague sujet, qu'il voulait que je développe. Avec contrat à la clé, bien sûr, et ensuite, si nous étions d'accord, la possibilité que je le réalise. Évidemment, c'était formidable, ça allait me changer la vie.

Pourtant, le sujet qu'il a évoqué semblait bien loin de mon univers. Un film fantastique. Avec mauvais sorts, malédictions – bref, à l'opposé de l'authenticité que je cherchais dans mon travail. Une des rares mauvaises critiques de mon premier film l'avait qualifié d'« aride ». Aride ! alors que j'étais sans concession !

Je finis par lui demander pourquoi il a pensé à moi. Je ne suis pas une spécialiste du genre.

— Parce que vous êtes une femme, une femme de talent, une perfectionniste, et que vous êtes la mieux placée pour diriger le rôle principal féminin.

C'était à la limite de la flagornerie mais je dois avouer que ça m'a fait plaisir.

Il sort une chemise d'un tiroir et me la tend :

— J'ai griffonné un vague synopsis. Il y a des choses intéressantes auxquelles je tiens… Tenez, lisez, pensez-y… On se revoit la semaine prochaine.

J'allais sortir quand j'ai entendu la réceptionniste demander à l'assistante aux bobines :

— Comment il fait pour la supporter ?

Et l'autre répondre :

— Il doit être maso.

Vous souriez ? Oui, je sais, ça a commencé comme une comédie.

Alors, j'ai lu. Titre provisoire : *La Reine sombre*. Rien que le titre, déjà… Une histoire de jeune veuve s'installant dans un manoir désert et possédée par l'esprit infernal qui habite les lieux. Du jamais vu !

Le moral m'est tombé dans les chaussettes.

Ça aurait dû me paraître curieux qu'un type qui avait produit d'aussi bons films, aussi pointu dans ses choix, ait pondu une merde pareille.

Mais, sur le coup, ça ne m'a pas effleuré l'esprit. Une idée de producteur, le fantastique était à la mode, certains films avaient fait de gros cartons au box-office. Je me suis seulement demandé comment j'allais lui faire comprendre sans le froisser que je ne pouvais pas accepter. Que le sujet avait un fort potentiel, mais que le projet allait à l'encontre de mes choix artistiques. Parfois, il faut savoir être pute pour s'en sortir.

Le lendemain, le courrier m'apportait un lot de factures, plus les impôts à payer sous un mois. J'étais à la limite du découvert à ma banque. J'ai donc revu ma position.

Je pouvais travailler sur le script, il n'y avait rien de honteux à cela. Ça pouvait même m'amuser. Et si ça aboutissait, personne ne m'obligerait à le réaliser.

La semaine suivante, je me rends au rendez-vous, l'esprit léger et remontée à bloc. Entre-temps, j'avais parlé à mon agent, qui avait fait une estimation de mon contrat tout à fait convaincante.

Je frappe à la porte du bureau. On m'ouvre. Ce n'est pas la secrétaire, mais la rousse hystérique. Je dois avoir l'air très con, parce qu'elle me lance, avec un grand sourire :

— Mais non, vous ne dérangez pas, au contraire, entrez.

Maintenant que je voyais son visage, il me disait vaguement quelque chose...

Max Gantier bondit de son fauteuil et me présente fièrement :

— Héléna Marchal... Votre vedette... et accessoirement, ma femme.

J'ai du mal à trouver mes mots, je reste là, plantée sur le seuil comme une cruche.

— Je sais, je sais, elle impressionne toujours un peu, la première fois.

— Ne dis pas ça, Max... Tu vas lui faire peur...

Je murmure quelques mots de politesse, qu'ils prennent pour de la timidité, et ils me sourient gentiment, lui, la tenant tendrement par l'épaule, elle, caressant sa main en un geste amoureux.

Puis elle sort du bureau en minaudant, sur un : « Je vous laisse travailler... À très bientôt. »

— Surprise, non ? Elle est magnifique. Elle sera extraordinaire dans le rôle.

Jamaiplu

Surprise, le mot était faible. Le synopsis évoquait une jeune femme et, à vue de nez, Héléna Marchal avait au moins trois liftings à son actif et quelques années de vol au compteur.

Je me ressaisis en pensant au contrat et, toute honte bue, j'affirmai avec la plus grande sincérité que j'étais emballée par l'idée. Ce n'était pas extrêmement reluisant mais, que voulez-vous, j'avais besoin de travailler. Si j'avais su où ça allait m'amener… Mais n'anticipons pas.

Vous pouvez fermer la fenêtre ? J'ai toujours froid, et le personnel a la manie de vouloir aérer à tout prix. Merci…

Max Gantier avait la réputation d'être généreux et il ne la démentit pas. Une fois mon contrat signé, je démissionnai de l'école – pour être honnête, je n'y ai plus refoutu les pieds. Sans ressentir la moindre culpabilité, parce que je savais que le boulot qui m'attendait allait être costaud.

Je devais me documenter. Je reçus par coursier une bonne dizaine de films fantastiques. À l'époque, c'étaient des cassettes. Des VHS. Je me suis tapé des litres d'hémoglobine, des spectres ricanants et des tonnes de toiles d'araignées. J'ai visité des caves gigantesques cachées sous de modestes cabanons perdus dans la forêt, des greniers pleins de mannequins vêtus de robes de mariée, de poupées diaboliques et de vieux coffres aux serrures angoissantes.

J'ai même eu peur, parfois, lorsqu'une ombre effrayante se profilait et se révélait être un chat.

Il faut dire que mon choix ne s'était pas porté sur les maîtres du genre, mais sur les films de série disons C ou D, voire G. J'avoue que j'ai ri souvent, que c'était plutôt bien fait et que les acteurs tenaient parfaitement leurs rôles.

Puis, à ma demande, je reçus les films d'Héléna. Des seconds rôles, pour la plupart produits par son mari. Elle n'avait pas une grande palette mais ça passait, le seul ennui, c'est qu'elle n'impressionnait pas assez la pellicule pour pouvoir exister dans un rôle principal.

Je jetai un coup d'œil sur le relevé de la banque posé sur mon bureau. Mon chèque avait été encaissé, je m'attaquai à l'écriture.

Qui dura trois semaines.

— C'est pas mal… Vraiment, c'est pas mal… commenta Gantier. Juste un détail. Amanda, l'héroïne, elle ne peut pas avoir perdu un enfant de quinze ans.

— Ah bon ?

— Bien sûr que non, elle l'aurait eu à quel âge ? Ce n'est pas crédible. Sinon, ça roule, ma chère Clothilde… Ah ! Pour ce qui est du côté sorcellerie, c'est bien, mais pas assez fouillé.

— Fouillé ?

— Authentique. J'aimerais que vous rencontriez quelqu'un qui pourrait vous être précieux.

— Un coscénariste ?

— Non, un expert en démonologie. Un type passionnant, vous verrez. Je vous ai pris rendez-vous avec lui. Il habite la grande banlieue, je vous enverrai un taxi.

Je me souviens de la scène par cœur, parce que c'est là que tout a commencé. Le taxi m'a déposée dans un village, à l'autre bout de l'Île-de-France, dont seul le chauffeur connaissait le nom et que j'avais oublié de lui demander. Je tiens à le préciser, parce que cela a son importance.

Il me laisse donc devant une maison isolée, qui semble tout droit sortie d'un des films dont j'avais fait une cure un mois plus tôt. Gothique. Des murs crépis dans un ocre un peu passé, des pignons, des cheminées hautes, des volets fermés et deux gros lions en pierre à l'entrée. Une grille imposante qui s'ouvre automatiquement. On était au printemps, mais pas un oiseau ne chantait aux alentours. Un îlot de silence.

Je soulève le marteau de la porte, en forme de serre. Il retombe avec un bruit sourd, dont l'écho se répercute à l'intérieur.

Une très vieille femme vient m'ouvrir. Comme elle est voûtée, elle me regarde par en dessous. Sans un mot, elle me fait entrer dans une sorte de hall très sombre aux murs lambrissés. Je commence à me sentir oppressée, j'ai la gorge sèche. Je comprends que j'ai peur.

J'entends des pas résonner sur le parquet, des portes se fermer, quand soudain une voix derrière moi me fait sursauter :

— Bonjour, mademoiselle Hermann.

C'était le fameux M. Jean, expert en démonologie. Un physique ordinaire, un petit homme mince vêtu de gris, au regard perçant d'un noir d'encre. Des yeux qui ne vous lâchent pas, qui ne cillent pas. D'une froideur polaire, malgré le sourire de leur propriétaire.

— Allons dans mon bureau, il y fait plus chaud. Ces vieilles maisons sont de vraies glacières.

Effectivement, je tremble. On est en mai et je tremble.

Le bureau est une véritable salle de musée, occupée par d'imposantes vitrines renfermant des objets inconnus.

— Ma collection... Résultat d'une vie de recherches... Tous actifs, ajouta-t-il, les yeux rivés sur moi.

Des masques, des fioles, des miroirs, des trucs indéfinissables, de très vieux livres – disons le mot, des grimoires… J'aurais été dans mon état normal, cela m'aurait peut-être fait sourire, je me serais peut-être émerveillée, poussée par ma curiosité naturelle. Mais j'étais pétrifiée de peur.

M. Jean le sent, bien sûr.

— Mademoiselle Hermann, vous pouvez vous détendre. Beaucoup de ces objets sont maléfiques, mais ils sont sous contrôle…

Je respire un grand coup, consciente que je réagis de façon ridicule.

Il m'indique un fauteuil, s'installe en face de moi, me propose de boire quelque chose. Je demande un verre d'eau et, dans la minute qui suit, sans que M. Jean ait prononcé le moindre mot, la vieille femme me l'apporte.

— Je suis là pour vous aider. Max est un ami, il m'a parlé de votre projet. Je sais que ce n'est pas facile pour vous.

— N'exagérons rien, je ne suis pas familière du fantastique, mais ça va.

— Nous nous comprenons, mademoiselle Hermann, je parle du rôle principal.

Je le regarde en biais sans rien dire.

— Oui… Cela va vous paraître incroyable, fantaisiste même, mais j'étudie la sorcellerie depuis trente ans et je sais reconnaître une sorcière quand j'en rencontre une.

Le silence qui tombe après ces paroles est tellement dense qu'on pourrait l'entendre. Je finis par articuler que je ne comprends pas.

— Bien sûr que si. Héléna Marchal est une sorcière et Max est sa victime. C'est un miracle qu'il vous ait envoyée vers moi. Il a eu la force d'appeler au secours.

— Je suis désolée, mais je ne peux pas adhérer à vos propos.

— Je ne vous demande pas d'y croire, mais à votre avis, pourquoi Max reste-t-il avec cette mégère ?

— Vous savez, dans les couples...

Je revois soudain la scène des hurlements et Gantier, impassible, comme sourd et aveugle.

— C'est un rituel d'envoûtement qui n'a rien d'exceptionnel mais qui est très efficace. La preuve, il lui produit un film en premier rôle alors qu'il a suffisamment d'expérience pour savoir que ça va le ruiner. Ce film fera un flop. Il n'a plus son libre arbitre, il la voit comme une jeune femme de trente ans, alors qu'elle en a le double. Vous pensez que j'affabule ?

— Sur ce point non, effectivement, mais...

— Quant à vous, mademoiselle Hermann, après un film pareil, votre carrière sera terminée.

— Mais je...

— Vous croyez que vous n'allez pas le réaliser ?

M. Jean a un petit rire ironique.

— Attendez de la rencontrer, je veux dire, en tête-à-tête. Vous ne jurerez plus que par elle, vous en parlerez comme d'un mélange d'Anna Magnani et de Marilyn…

— Vous ne me connaissez pas, monsieur.

— Elle va commencer par vous faire un cadeau, pas grand-chose, quelque chose que vous porterez…

Je me sens de plus en plus mal à l'aise. Je refuse d'y croire, et pourtant je sens qu'il y a une part de vérité dans ses paroles.

— Je dois partir, je vous remercie de vos conseils… Vous pouvez m'appeler un taxi ?

— Il vous attend. Ça a été un plaisir de vous rencontrer, mais nous allons nous revoir.

Je lui réponds intérieurement, *Non, jamais, merci*, et je quitte les lieux, ou plutôt je m'enfuis.

— Alors, ça s'est passé comment avec ce vieux Jeannot ? Vous savez que je l'ai connu à l'armée ? lance Gantier, lors de notre rendez-vous suivant.

— Très intéressant, des vieux grimoires, des choses incroyables.

— Je savais qu'il vous serait utile. Nous allons faire un bon film, déclare Max en se frottant les mains.

Ce type était vraiment sympathique. À mille lieues de la « glauquerie de ce vieux Jeannot », comme il disait.

— Une coupe de champagne pour fêter ça ?

Il ne me laisse pas le temps de répondre, appuie sur l'Interphone et passe commande à sa secrétaire. Il me demande si je préfère blanc ou rosé, quand la porte s'ouvre avec fracas sur une Héléna en fureur, qui lui balance son sac Vuitton à la tête.

— Qu'est-ce que c'est que cette histoire de fils de quinze ans ? C'est quoi, cette connerie ? Vous vous foutez de moi ?

Max se départit à peine de son sourire pour répondre que c'est réglé, une erreur de frappe… n'est-ce pas, Clothilde ? Je fais vaguement oui de la tête, sous le coup du stress.

— C'est un fils de cinq ans… Chérie, quand même…

— Tu vois, je me méfie avec toi. Tu laisses passer des trucs, on dirait que ça t'amuse de me blesser.

— Mais pas du tout, Héléna… Tu veux une coupe ?

— Tu sais bien que je n'aime pas le champagne !

Et elle tourne les talons. Max enchaîne avec un grand sourire, pour éviter tout silence gênant :

— Quel tempérament ! Quel feu ! Quelle femme !

Vous savez, à cette époque, il n'y avait pas d'Internet, on connaissait des gens ce qu'ils voulaient bien dire d'eux. Ça aurait changé beaucoup de choses, mais bon…

La semaine suivante, je m'abîmai dans le travail en essayant d'oublier mon entrevue avec M. Jean. Ce qu'il m'avait dit sur ma carrière et le risque que je prenais en faisant ce film ne me sortait pas de la tête. Je parvins tant bien que mal au bout du script, plus que jamais décidée à annoncer mon intention de ne pas le réaliser, une fois la dernière version aboutie.

Je m'en souviendrai toute ma vie, c'était un samedi. Il faisait un temps magnifique et j'avais décidé de rester chez moi pour travailler.

Le téléphone sonne : c'est Héléna au bout du fil.

— Ma chérie… Je suis désolée pour l'autre jour, je ne sais pas comment me rattraper… Je suis impulsive, je t'ai blessée.

— Pas du tout, je vous assure.

Elle me tutoyait, mais pour rien au monde je ne lui aurais rendu la pareille.

— Voyons-nous, ça me ferait plaisir.

— Lundi, je passe à la prod…

— Non, pas au travail. Quelle heure il est ? 14 heures. On prend un thé ensemble à 16 heures… Dans ton quartier, si tu veux.

— Je suis un peu à la bourre et…

— Ne sois pas si dure avec toi-même. Je passe te prendre à 16 heures.

— Je… je serai en bas.

Je me sentais très mal, bourdonnements dans les oreilles et le cœur qui vous tape. J'entendais M. Jean me répéter en boucle : « Attendez d'être en tête-à-tête avec elle. »

Et puis je me ressaisis. Ce n'était qu'une épouse de producteur ringarde qui voulait se mettre bien avec son metteur en scène. Je devais arrêter de me faire un tel cinéma. Ça devenait grotesque.

Pour me rafraîchir les idées je pris une douche et enfilai des vêtements un peu plus seyants que les vieux jeans et les tee-shirts que je portais en permanence.

Je descendis à 16 heures pétantes. Héléna était devant chez moi, souriante, maquillée et apprêtée comme si elle attendait le « Moteur ! » dans un tailleur de grand couturier.

— Mais tu es très jolie, habillée en fille, ma chérie !

J'eus un petit rire bête.

Elle avait déniché un salon de thé à deux pas de chez moi. Elle commanda d'office deux chocolats et des pâtisseries.

— Je suis tellement contente, tellement contente, tu ne peux pas savoir, Clothilde.

Elle avait l'air sincère.

— On croit que c'est facile d'être la femme d'un producteur, mais détrompe-toi. Les gens se méfient. Même Max, tu sais. J'ai toujours eu des rôles intéressants, mais c'est la première fois qu'il me permet de m'exprimer vraiment... grâce à toi.

Sincère et presque touchante. Elle ne ressemblait en rien à la furie qui se roulait par terre ou défonçait les portes.

Elle prit son sac, l'ouvrit et en sortit un paquet-cadeau... qu'elle me tendit.

— Pour te remercier et me faire pardonner...

« Elle va commencer par vous faire un cadeau, pas grand-chose, quelque chose que vous porterez... »

Je ne dis rien, je ne bougeai pas, les yeux fixés sur le petit paquet en carton rose, orné d'une faveur.

— Je t'en prie, ce n'est pas grand-chose...

Je finis par le prendre, sans l'ouvrir.

— Merci... c'est très gentil...

Les mots avaient du mal à sortir de ma bouche.

— Ouvre-le. Si ça ne te plaît pas, je le change.

J'ouvris le cadeau comme si c'était une bombe à retardement. Il contenait un petit écrin, à l'intérieur duquel se trouvait un bracelet à breloques.

— C'est un charme, comme on dit. Ça te portera bonheur…

Après, c'est flou, elle a dû me poser des questions sur le script, j'ai dû lui raconter les changements, on a dû parler des sorties de la semaine et des entrées… Il m'est difficile de décrire l'état dans lequel j'étais.

Le lundi suivant, sous prétexte de régler un détail dans le script, je demandai à Max un nouveau rendez-vous chez M. Jean. Qu'il m'obtint dans la minute. M. Jean m'attendait quand je voulais.

Je voulais maintenant.

Cette fois, je n'éprouvais aucune appréhension, aucun malaise. J'étais même soulagée de le revoir.

Je lui montre le bracelet.

— L'avez-vous porté ?

— Bien sûr que non.

— C'est déjà ça, mais le simple fait de le posséder vous a mise en son pouvoir.

— Si ça peut vous rassurer, je ne la prends pas pour Magnani.

— Mais vous avez eu peur, n'est-ce pas ?

— Un peu.

— C'est le processus. La peur affaiblit.

— Mais enfin, comment est-ce possible ? C'est de la folie. J'ai l'impression de…

— ... d'être dans un film ?

Il avait fini ma phrase en riant.

— Il existe un moyen de retourner à l'envoyeur...

— Que voulez-vous dire ?

— Un moyen de couper le charme, expliqua-t-il avec un sourire. Elle a quand même eu de l'humour, en vous offrant ce bracelet.

— Et comment je fais, hein ? Comment ?

J'étais pressée d'en finir, je voulais me libérer de la tension qui ne m'avait pas lâchée depuis le samedi.

— Vous aussi, vous allez lui offrir quelque chose.

— Quoi ?

— Rassurez-vous, c'est inoffensif, ça va juste la calmer.

Le lendemain, j'ai appelé Héléna et l'ai invitée à venir boire un thé chez moi pour lui parler du scénario. Folle de joie, elle a accepté avec empressement.

Pour l'occasion, j'avais acheté du thé dans un magasin de luxe. Un thé fort et parfumé, à un prix que je trouvais exorbitant, vu la taille du paquet. Pendant que je le préparais, Héléna m'exposait ses vues sur le personnage. Elle avait pensé à ses costumes et voulait perdre au moins cinq kilos.

Je lui ai servi le thé. Il était délicieux. Nous nous sommes quittées les meilleures amies du monde.

Max l'a trouvée morte dans sa baignoire en rentrant chez lui, ce soir-là. L'autopsie a révélé une forte concentration d'arsenic dans son organisme – une concentration telle qu'il avait agi très rapidement. Et, naturellement, du thé.

Vous vous demandez comment j'ai pu accepter ce soi-disant contre-sortilège, n'est-ce pas ?

C'était un petit flacon banal contenant un liquide rosé, fabriqué à partir d'une plante aux propriétés laxatives. M. Jean m'avait expliqué qu'Héléna passerait quelques heures à se vider. « Une méga gastro, rien de bien méchant », avait-il ajouté. Une petite purge sans danger, en somme. Pour me le prouver, il en avait même versé quelques gouttes dans son café. Qu'il avait bu d'une traite.

Voilà. Vous connaissez l'histoire. Enfin, celle des journaux. J'ai été arrêtée, les experts m'ont jugée psychologiquement déséquilibrée mais responsable de mes actes. Rien de ce que j'ai pu dire pour ma défense ne m'a disculpée.

On n'a retrouvé aucun M. Jean, l'adresse où il était supposé résider abritait un musée privé de curiosités. Quant à Maxime Gantier, il a joué à la perfection les veufs dévastés. Il a affirmé ne pas le connaître et ne m'en avoir jamais parlé. Selon les experts, je souffrais d'une pathologie proche de la schizophrénie, avec perte de contact d'avec la réalité et transformation délirante du vécu.

Folle, bien sûr que je l'ai été. Héléna n'était pas une sorcière, simplement une femme névrosée et insatisfaite... Et M. Jean avait raison sur un point : ma carrière était terminée.

Entre parenthèses, avez-vous réussi à trouver une vidéo de mon film ? Non ? C'est dommage... Il y avait des choses intéressantes, et j'aurais bien aimé le revoir...

La vérité ? La vérité, je l'ai découverte plus tard dans la presse. Une partie, du moins. Le reste, je l'ai déduit. J'avais tout mon temps pour réfléchir en cellule.

En mourant, Héléna avait légué sa fortune à son mari. Une fortune de famille. Une fortune pour laquelle beaucoup de gens auraient tué. Maxime Gantier a commis le crime parfait et j'ai été son instrument. Mais j'ai longtemps ignoré de quelle façon il s'y est pris.

Et puis, un jour, en regardant un vieux film à la télé – j'étais une prisonnière modèle et j'avais la télé –, en regardant un vieux film, donc, un polar je me rappelle, plutôt bien fait, j'ai reconnu un petit rôle, oh... une réplique, dans une scène de boîte de nuit. M. Jean. Plus jeune, certes, mais je l'ai reconnu.

Je n'ai jamais su son vrai nom, il n'était pas crédité au générique.

Maxime Gantier n'avait pas menti. Sans doute avait-il rencontré M. Jean pendant son service militaire et l'avait dépanné de temps en temps. Plus tard, il lui a offert son grand rôle, qui a dû être très bien payé. Celui de l'expert en démono-logie, dans lequel il a excellé…

Quant à la maison de la peur… Un décor, bien sûr, comme je l'avais ressenti dès le début. Une maison vide, louée pour quelques jours. Loués aussi, les objets, les meubles, les grimoires. Et une vieille frimante engagée pour la journée, trop heureuse de gagner quelques billets au black. Tout s'emboîtait parfaitement.

M. Jean m'a mise en condition et Max a suggéré à sa femme de m'offrir un petit cadeau, peut-être l'a-t-il lui-même choisi. C'était un homme qui avait le souci du détail.

Bien sûr, j'en ai eu de la rancœur, et même de la haine. Mais comme je vous l'ai dit, c'était il y a des décennies, le temps vous anesthésie, vous savez… C'est peut-être pas plus mal, d'ailleurs.

Il est l'heure de dîner. Ils vous font manger à 18 h 30, ici. Je dégusterai vos macarons dans ma chambre, mettez-les dans mon sac. Je n'ai pas droit au sucre, ils seraient capables de me les confisquer…

Merci de votre visite, jeune homme. J'espère que tous ces détails vous aideront à écrire votre scénario.

HISTOIRE SAINTE

— Il est où papi maintenant ?

— Je te l'ai dit mon chéri, il est au ciel.

— C'est où, le ciel ?

— Ben… là-haut.

— On peut y aller ?

— Ah non, enfin pas maintenant.

— Quand alors ?

— Ben… quand on sera comme papi, très vieux.

— Et qu'on mourra ?

— Oui, enfin dans très longtemps.

— Et qu'est-ce qu'il fait là-haut, papi ?

— Il est bien, il se repose, et puis il est avec mamie. Tu l'as pas connue, mamie, mais maintenant ils sont ensemble.

— Ça lui plaît ?

— Bien sûr.

— Ah bon… T'es sûre ?

— Évidemment. Pourquoi il serait pas content d'être avec mamie ?

— Parce qu'y disait que mamie elle était chiante.

— Quoi ? Qu'est-ce que tu racontes ?

— C'est pas moi, c'est papi qui disait ça.

— C'est pas vrai, mon chéri, tu as dû mal comprendre, et on dit pas des mots comme ça.

— Si c'est vrai, t'étais là et papa aussi. Il disait : « Elle était chiante et toujours sur mon dos. »

— Il a dit ça comme ça. Il le pensait pas.

*

— Et là-haut, elle est moins chiante, mamie ?

— Arrête avec ça !

*

— Et les gens qu'on n'aime pas, ils vont au ciel aussi ?

— Je sais pas, ça dépend.

— Ça dépend de quoi ?

— Il y en a qui y vont, d'autres pas… Écoute, j'ai des choses à faire…

— Ils vont où les autres ?

— J'en sais rien.

— Et les très très méchants, comme on voit à la télé, ils vont où ?

— Ils vont où ils veulent !

— Ils vont au ciel alors ?

*

— Moi, je crois qu'ils vont en enfer.

— Louis, tu arrêtes avec ces bêtises, j'ai le repas à préparer, alors s'il te plaît...

— C'est où l'enfer ?

— Ça n'existe pas, voilà, l'enfer ça n'existe pas.

— Alors, quand ils vont tous au ciel, ils deviennent gentils ?

— Peut-être.

*

— Il s'ennuie pas ?

— Quoi ?

— Papi, il s'ennuie pas ?

— Pas du tout.

— Il y a la télé ?

— Oui.

— Et il joue aux cartes avec mamie ?

— Il joue aux cartes.

— Il disait qu'elle était tricheuse, mamie.

— Là, personne ne triche... Pousse-toi, s'il te plaît...

— Et si, par exemple, les parents de Cyrille qu'ont divorcé ils meurent, ils vont ensemble au ciel ? Même s'ils s'aiment plus du tout ?

— Oui.

— Et si la copine du père de Cyrille elle meurt, elle va avec eux ?

— Hum-hum.

— Ils doivent pas rigoler, alors.

*

— Et la copine de papi si elle meurt, elle y va ?

— Quelle copine ?

— Sa copine de la maison de retraite.

— C'était pas sa copine, c'était une amie.

— Y disait que si y serait plus jeune il se mariera avec elle.

— Il aurait plus manqué que ça !

— Ça la fera pas rigoler, mamie. Y disait qu'elle aimait personne.

— Tu as fini, Louis ? C'est pas vrai !

*

— Louis ! Descends de là immédiatement ! Et lâche ce poisson ! Oh non, pourquoi tu as fait ça ? Regarde, il est mort ! C'est méchant ! C'est très méchant de faire ça ! Il t'avait rien fait, ce petit poisson !

— Si je suis méchant j'irai quand même au ciel ! C'est toi qui l'as dit.

— Si tu es méchant, tu auras une fessée ! Voilà ! Maintenant tu te calmes et tu me laisses finir de préparer le dîner.

— De toute façon, il va aller au ciel, le poisson.

— Les poissons vont pas au ciel. Tu t'es mis plein d'eau, regarde.

— Pourquoi ?

— Pourquoi quoi ?

— Pourquoi ils vont pas au ciel, les poissons ?

— Là j'en peux plus, tu te tais !

— C'est pas juste !

*

— C'est pas vrai, ma viande a brûlé ! Tu vois ce que tu me fais faire ? Blanquette de veau foutue !

— Et les veaux ?

— Louis...

— Maman, ils vont au ciel, les veaux ?

— Là, tu m'énerves ! Personne ne va au ciel, ni les poissons ni les veaux, ni papi, ni personne. On vous met dans le trou et c'est fini ! Et arrête de pleurer ! Louis, mon chéri, arrête de pleurer... S'il te plaît, mon amour...

— Je veux pas... Je veux pas aller dans le trou !

— Mais bien sûr que non, mon amour… J'ai dit ça parce que j'étais énervée.

— J'irai au ciel alors ?

— Bien sûr que tu iras au ciel. Fais-moi un gros bisou.

*

— Papa, il est où Dieu ?

— Qui ça ?

— Dieu, il est où, Dieu ?

— Je sais pas, je travaille, demande à ta mère.

*

— Maman elle dit que tu sais mieux qu'elle !

— Et pourquoi je saurais mieux qu'elle ?

— Parce que tu as été papisé.

— Quoi ?

— Elle dit que tu as été papisé.

— Baptisé ! Ah… oui… baptisé. Je sais plus où j'en suis, putain d'Urssaf…

— C'est quoi papisé ?

— Baptisé. C'est un truc, je me rappelle plus.

— Moi, j'ai été patisé ?

— Baptisé ! baptisé ! Non, tu n'es pas baptisé !

— Pourquoi ?

— Écoute, Louis, je travaille, je peux pas te répondre. Tu ferais mieux de demander à ta mère. Elle sait pourquoi t'as pas été baptisé.

*

— Maman elle dit que ça sert à rien.

— Très bien... Maintenant, va jouer, Louis, s'il te plaît.

— Alors pourquoi t'as été batissé, toi, si ça sert à rien ?

— Bon, écoute, je t'explique, dans ma famille tout le monde était baptisé, voilà, c'est une coutume.

— Ils sont pas patissé chez maman ?

— Non... Ils sont athées. Alors, qu'est-ce que je mets là... C'est d'un clair !

— C'est quoi até ?

— Ils croient pas en Dieu.

— Et toi, t'y crois ?

— Hein ? Non, enfin pas vraiment... Bien que si Dieu existait, il pourrait m'aider à remplir ce truc !

— Tata Jocelyne, elle dit que Dieu il est partout !

— Eh ben, voilà. Tu as ta réponse.

— Il est là, alors ?

— Mais non... Il est pas là... Tu me fous la paix, Louis, s'il te plaît. Je dois renvoyer ce machin ce soir, et je n'en suis qu'à la moitié !

— Elle dit que si on est pas bapisé, on va en enfer et que ça brûle tout le temps.

— La prochaine fois que je la vois, celle-là…

— Je veux pas aller en enfer ! Je veux pas aller en enfer !

— Calme-toi, Louis… S'il te plaît, arrête de pleurer… Attention, les papiers. Eh merde ! Regarde la feuille !

— Je veux être bapisé ! je veux être bapisé ! je veux être bapisé !

— OK. D'accord, Louis. Tu sais ce qu'on va faire ?

— Non. Je veux être bapisé !

— Justement. Tu vas demander à maman une bouteille d'eau et un peu de sel.

— Pour quoi faire ?

— Pour être bapisé… Mais c'est un secret. D'accord ? Tu dis pas pourquoi à maman. D'accord ?

— D'accord.

*

— Ça y est ?

— Bien sûr ça y est. Maintenant, c'est bon, arrête avec l'eau, ça suffit… Donne-moi cette bouteille ! Où tu vas ?

— Je vais bapiser Dudule.

— Non, Louis, un hamster n'a pas besoin d'être baptisé !

— Alors je vais bapiser maman !

— Louis, reviens immédiatement ! Louis !

Les explorateurs

Ce fut le vieux qui les entendit en premier. Il interrompit Tristounet qui racontait pour la n-ième fois comment sa femme l'avait trompé avec cet enfoiré de merde de concessionnaire automobile et la façon qu'elle avait eue de le plaquer, en partant avec la voiture que l'autre enfoiré lui avait vendue et dont il n'avait pas fini de payer les traites.

— Écoute !

— Quoi ? demanda le môme.

— On a de la visite !

— Chouette ! dit le môme.

— Tu parles, fit le vieux. Encore des emmerdeurs.

Les pas se rapprochaient, ils résonnaient à travers la galerie.

— Qu'est-ce que t'en sais ? C'est peut-être des touristes…

Tristounet partit d'un rire désabusé.

— Vos gueules ! ordonna le vieux.

La lueur des lampes frontales projeta quatre ombres vacillantes sur les parois.

— Qui ça peut être ? chuchota le môme.

En guise de réponse, le vieux lui donna une grosse tape sur la tête.

— C'est lugubre de chez lugubre, dit la première silhouette.

— C'est ce qu'il faut, c'est l'idéal ! répliqua la deuxième.

— Ça risque pas de s'écrouler ? demanda la troisième, d'une voix inquiète et féminine.

La dernière silhouette, massive, avec la voix qui allait avec, conclut qu'il n'y avait aucun risque et qu'ils avaient toutes les autorisations.

Ils allumèrent leurs lampes torches. Le môme faillit crier, mais le vieux lui plaqua une main sale sur la bouche.

Ils explorèrent chaque recoin, en se balançant quelques vannes au passage. L'un d'eux fit même une blague à la fille, qui poussa un petit cri et éclata de rire.

— C'est bon, dit le massif. Allons-y.

Le vieux attendit que l'écho de leurs pas ait fini de se perdre à travers les galeries.

— Et c'est reparti !

— C'est reparti quoi ? demanda le môme.

— Ils vont revenir nous faire chier, fit Tristounet.

— C'est nous qu'on se fait chier, dit le môme. Depuis combien de temps on n'a pas vu quelqu'un ?

— Depuis cinq ans, avant que tu te pointes, dit le vieux. Tu te rappelles, Tristounet ?

— M'en parle pas. Ils avaient apporté tout leur matos. Il y en avait un qui ressemblait craché à cet enfoiré de vendeur de voitures.

— Et t'as failli leur parler, rappelle-toi ! t'as failli.

— J'ai pas parlé, j'ai jeté une pierre.

— C'est pire.

— Je comprends pas, dit le môme, on est dans cet endroit pourri seuls comme des cons, on a de la visite, et vous voulez même pas leur parler ? C'est débile.

Tristounet soupira.

— Ils vont t'emmerder comme c'est pas permis, ils installent leurs caméras à la con dans tous les coins, et si tu bouges une oreille, t'es cuit !

— Qu'est-ce qu'ils peuvent me faire ? rigola le môme.

— Ils te posent des questions à n'en plus finir, et quoi et qu'est-ce, et pourquoi et comment, ils veulent tout savoir, ces trouducs.

— Trouducs, répéta Tristounet.

— Moi, ça me dérange pas.

— Moi si, dit le vieux, d'un ton définitif.

Un silence.

— C'est con, dit le môme, j'aimerais bien avoir des nouvelles, savoir ce qui se passe.

— Ils s'en foutent, ils veulent juste t'emmerder, que tu sortes de tes gonds, répondit Tristounet.

— Mais pourquoi ?

— Pour leur émission de télé à la noix.

— On passerait à la télé ? C'est top !

— Moi, j'en avais acheté une, noir et blanc mais bon, pour faire plaisir à Françoise, eh ben elle l'a prise aussi, cette salope !

— Arrête cinq minutes, le disque est rayé !

Le môme éclata de rire.

— Il y a pas de quoi rire, fit Tristounet, vexé.

— Y a pas de quoi pleurer non plus, dit le vieux, ça fait quarante ans que je me la tape, ton histoire, je la connais par cœur, je peux te la réciter.

— Parce qu'avec toi, c'est une partie de plaisir, peut-être ? Pas un mot de réconfort, rien !

— Si. Au début, après on se lasse.

— Tu as de la chance d'avoir de la repartie, sinon, il y a longtemps que je t'aurais cloué le bec, monsieur Je-sais-tout !

— Vous allez pas vous engueuler, dit le môme.

— Tu vois, ça commence, dit le vieux dans un soupir.

Le môme le regarda sans comprendre.

— Ils sont à peine arrivés qu'ils sèment la zizanie. Et quand ils vont débarquer, je te dis pas.

Après, il y eut un gros silence, le silence des profondeurs, dont rien, même pas un souffle d'air, ne vint ternir la densité.

C'est le môme qui le brisa :

— Qu'est-ce qui s'est passé la première fois ?

— Comme toutes les premières fois, on est cons, on sait pas, dit le vieux. À l'époque, il y avait Gros Jean.

— Gros Jean ?

— Tu l'as pas connu. C'était un bon vivant, enfin, manière de parler, dit Tristounet.

Le vieux se gratta la tête.

— Mais faut dire qu'il a déconné, sans penser à mal. Quand ils se sont pointés, il était content, Gros Jean. C'était un type qui adorait parler, alors dès la première question, il a répondu. Si j'avais été là... Je suis arrivé après, c'était trop tard.

— Cela dit, ajouta Tristounet, quand il a pincé les fesses de la gonzesse, on s'est marrés. T'aurais vu sa tête. T'aurais vu leurs têtes à tous. Morts de peur !

Le vieux partit d'un grand rire.

— C'était cool, quand même, dit le môme.

— Non, ç'a pas été cool, comme tu dis. Ils se sont mis à nous insulter, montre-toi si t'es un homme, à nous traiter de forces maléfiques, je me suis retenu. Et c'est là que la bonne femme s'est mise à faire des incantations.

— Elle avait allumé des bâtons qui puent, dit Tristounet.

— De l'encens ?

— Un truc comme ça. On a commencé à avoir les jetons. Ils étaient cinq, cinq barjos. Très agressifs.

— Et alors ?

— Et alors ? Gros Jean a disparu, volatilisé, conclut le vieux.

— Il est où ?

— Ça… soupira Tristounet.

— Tu crois qu'il est… ?

Le môme pointa l'index au-dessus de sa tête.

Le vieux eut un petit rire.

— Je crois qu'il a tellement eu les jetons qu'il s'est tiré. Il était pétochard, Gros Jean. Rappelle-toi, en 1962, on est restés bloqués dans l'ascenseur, il a fait dans son froc.

— Faut dire qu'on est restés cinq heures… C'est pas forcément la pétoche, dit Tristounet.

— Il est peut-être dans une autre galerie, la mine est grande.

— Depuis tout ce temps ?

— Possible, il a jamais été très fute-fute, il s'est paumé, il retrouve pas son chemin.

— Il doit se faire chier, dit le môme.

De nouveau, le silence les enveloppa. De nouveau, le môme le brisa.

— Ce qui me manque, c'est la télé.

— Moi, c'est ma...

— On sait, dit le vieux.

Tristounet ne répondit pas.

— Je plaisantais, dit le vieux.

— Vous me faites chier, je vais faire un tour !

Et il y eut comme un trou dans les ténèbres.

— Il est branché en boucle sur sa meuf, c'est débile !

— Tu sais, ç'a pas été facile pour lui. Elle s'est tirée au moment où il y a eu l'accident. Il était en bas, pendant qu'elle partait avec la bagnole, la télé et son Jules.

— Il y a prescription. Combien ? Quarante ans ?

— T'es un môme, tu peux pas comprendre. Imagine que t'aies eu des parents au lieu d'être de la DDASS. Eh ben, t'y penserais, à tes vieux, au lieu de penser à la télé. T'y penserais souvent, t'y penserais même beaucoup.

— Ouais, peut-être... Et toi, tu penses à quoi ?

— À mon chien, répondit le vieux après un silence. J'ai eu ni femme ni enfant, mais j'avais Totor... Il était resté à la maison... Je me demande qui s'est occupé de lui, s'il a fini piqué à la SPA ou s'il est mort de faim, je sais pas. C'était pas un beau chien, il était même franchement laid, mais c'était un bon gars, Totor.

— T'y penses pas tout le temps...

— Non. Gros Jean, il avait un canari. Le piaf, il descendait avec lui.

— Un canari ? C'est quoi, ce délire ?

— Pour les émanations. Si le piaf crevait, t'avais intérêt à tirer tes miches de là, vitesse grand V. Manque de pot, il s'est fait bouffer par un greffier deux jours avant l'accident... Comme quoi...

Le môme se leva, fit le tour de la galerie, s'arrêta à l'entrée et revint s'asseoir près du vieux.

— Des fois, j'aimerais bien sortir.

— Personne t'empêche.

— Et si je me perds, comme ton pote ?

— Tu fais comme le petit Poucet... ricana le vieux.

— T'as jamais eu envie, toi ?

— Pour aller où ? Au moins, là, je connais. Pis, de toute façon, on peut pas.

— Et pourquoi on peut pas ?

— Tu crois pas que j'ai essayé, depuis tout ce temps ? Eh ben, on peut pas. Ah ça, la mine, je la connais, je la connais par cœur. Mais sortir, on peut pas. On est trop faiblards. Toi-même, t'as jamais essayé.

— Je viens d'arriver.

— Que tu crois ! Ça fait trois ans que tu es là.

— Trois ans ! Waouh, ça passe vite !

— Ça passe pas, tu veux dire…

Le môme resta silencieux un petit moment. Il essaya de rassembler les souvenirs de sa vie d'avant. Mais c'était fragmenté, il y avait de gros trous. Il ne se rappelait pas comment il avait atterri là, avec ces trois vieux schnocks qui radotaient.

Alors, l'éventuelle venue de visiteurs, même casse-couilles, l'idée qu'il allait rencontrer d'autres gens, leurs lumières, leurs caméras, s'il fallait croire le vieux, tout cela l'excitait au plus haut point.

Tristounet surgit devant lui et le fit sursauter. Il pointa du doigt un coin sombre de la galerie en répétant :

— Je l'ai retrouvé ! je l'ai retrouvé ! Bon Dieu, je l'ai retrouvé !

— Qui ? demanda le vieux.

— Gros Jean ! Gros Jean !

— Qu'est-ce que tu débloques ?

— Il débloque pas, fit Gros Jean.

Le môme dévisagea le nouveau venu, qui méritait son nom, il devait dépasser les cent kilos, avec une bonne tête aux yeux protubérants.

— D'où il sort, celui-là ? demanda Gros Jean en désignant le môme.

— Un accident, dit le vieux. Connerie de gamin, on veut jouer les explorateurs et on tombe dans un trou.

Le môme se figea. Tout lui revenait en mémoire, la balade avec les potes du foyer, le défi à la con – « T'es pas cap d'y aller. – Je suis pas cap, Ducon ? Tu vas voir, qu'est-ce que tu paries ? – Tiens, la bouteille de whisky que t'as chourée au concierge. OK ? – OK. »

La voûte qui s'effondre, de la douleur, une putain de douleur, pas longtemps… C'était pas cool de se souvenir de tout ça.

— Fais pas cette tête, dit le gros. Je suis pas méchant.

Le môme ne répondit pas. Il s'était assis sur le sol, la tête posée sur les genoux. Il se retenait. Il voulait pas qu'on l'entende pleurer.

Gros Jean s'agenouilla devant lui et ouvrit sa grosse main.

— Regarde ! Hé, petit, regarde !

— Qu'est-ce que t'as trouvé ? demanda le vieux.

— Mon piaf !

— Ton piaf dans la mine ! Il a été becqueté chez toi par ton greffier.

— C'est pourtant un piaf, affirma Tristounet en jetant un coup d'œil.

Le môme leva les yeux. Effectivement, un petit oiseau d'un jaune sale reposait au creux de la grosse main noire de poussière tendue vers lui. Il bougeait à peine, tournant sa minuscule tête dans tous les sens. Le môme tendit un doigt et se mit à gratter le crâne de l'oiseau.

— Doucement ! dit Gros Jean. C'est fragile, ces petites choses.

— Où tu l'as déniché, si je puis dire ? demanda le vieux.

— Dans une galerie de roulage. Il avait l'air content que je le trouve. Hein, mon Cui-Cui.

— Ça nous dit pas pourquoi t'as disparu du jour au lendemain !

— Je crois que je me suis perdu.

— Je te l'avais bien dit, glissa Tristounet.

— Ils sont partis, les abrutis ?

— Évidemment, ça fait cinq ans !

Gros Jean ouvrit encore plus rond ses gros yeux ronds.

— Cinq ans ! Ça passe vite.

— Combien de fois il faut vous dire que ça passe pas, le temps, ici !

— Toi, tu le comptes bien, vieux malin.

— Je dis ça à vue de nez. Ça fait peut-être plus.

— Je suis bien content qu'ils aient foutu le camp, cette bande d'emmerdeurs !

— Ils vont revenir ! annonça Tristounet. Pas les mêmes, mais ils vont revenir !

— Merde ! dit Gros Jean. Merde ! merde !

Il glissa délicatement le petit oiseau dans sa poche.

— Ben, t'installe les caméras infrarouges, je pose un détecteur de mouvements.

— OK, Patrick.

Le massif s'activa, filmé par le cameraman, Pedro, un petit nerveux dont les paupières clignaient sans arrêt.

Patrick, c'était le chef, peut-être parce qu'il était le plus costaud, mais surtout parce que c'était lui, le fondateur des « Explorateurs de l'Au-delà » et que l'émission marchait gentiment.

— Je branche les magnétos, dit Julie, sa copine, une petite rondelette qui portait des vêtements sexy et des tatouages improbables sur pratiquement toutes les parties visibles de son corps.

Patrick se tourna vers la caméra de Pedro.

— Nous sommes dans la mine de Saint-Martin, à l'endroit même où s'est produit un terrible accident qui a coûté la vie à des dizaines de mineurs. Plusieurs personnes ont été témoins de phénomènes paranormaux dans la mine, jets de pierres, cris, apparition d'orbes…

— C'est quoi un orbe ? chuchota le môme.

— Ta gueule, chuchota le vieux.

— On va éteindre les lampes, tout sera filmé par les caméras infrarouges.

— C'est vraiment flippant, ce silence, dit Pedro.

— Y a-t-il une présence en ces lieux ? Je m'appelle Patrick, et mon équipe et moi sommes venus pour parler. Si quelqu'un m'entend, peut-il me répondre ?

— Je t'encule ! lança Gros Jean.

— Vous avez entendu ? demanda Julie.

— Non… Voulez-vous nous parler ?

— Elle est bonne, la meuf, dit le môme.

— J'ai froid tout d'un coup, dit Julie.

Elle brandit un appareil, l'examina.

— Le capteur de température indique que ça a baissé de quatre degrés. Regardez, j'ai la chair de poule.

Pedro filma son bras en gros plan.

— Si vous voulez vous manifester, n'hésitez pas, c'est le moment.

— Je vais faire une séance de PVE, dit Ben.

Et il brancha son magnéto.

— C'est quoi, des PVE ? demanda le môme.

Comme s'il avait entendu la question, Patrick expliqua, face caméra :

— Ce sont des phénomènes de voix électroniques, car les esprits utilisent l'énergie de nos appareils pour communiquer. Y a-t-il quelqu'un ici qui voudrait nous parler ?

— Je t'encule, répéta Gros Jean.

— Tu peux pas la fermer ?! dit le vieux.

— Je crois qu'on a quelque chose, fit Ben, tout excité.

— Nous avons là une première preuve d'une manifestation paranormale dans la mine. Ceux qui sont morts ici ont vécu des heures atroces avant de mourir.

— Ils sont déprimants, dit Tristounet.

Le cameraman poussa un cri.

— Oh putain, on m'a touché ! là, derrière la tête !

— Qui qu'a fait ça ? demanda le vieux.

— Personne, dit Gros Jean. Le gamin ?

— J'ai pas bougé. Il a des hallus, le mec.

— C'est du pipeau, dit Tristounet. N'oublie pas que c'est pour la télé.

— Comme si on me tirait les cheveux derrière la tête. C'était carrément effrayant.

— Ben oui, y a que là où il en a, dit le môme, qui rigola de sa blague.

— Là, j'ai entendu quelque chose ! souffla Julie. Comme un rire.

142

— C'est malin, fit le vieux, en foudroyant le môme du regard.

— Ça a été enregistré ? Moi, j'ai rien entendu.

— Je t'encule ! hurla Gros Jean.

— Là, je viens d'enregistrer un truc !

— Elle a des tatouages même sur les nibards, dit le môme.

Le vieux lui donna une tape sur la tête.

— Nous allons maintenant explorer une galerie parallèle, et je vous demande de faire très attention, il peut y avoir des éboulements. Nous laissons sur place une caméra infrarouge et un détecteur de mouvements.

Le petit groupe s'éloigna et le vieux poussa un soupir de soulagement.

— Ils vont revenir, dit Tristounet.

Tout à coup, pour la première fois depuis des décennies, un sifflet bref et aigu retentit.

— C'est Cui-Cui ! Il s'est requinqué ! s'exclama Gros Jean, excité comme un gosse.

Il sortit de sa poche l'oiseau, qui étira ses ailes et le fixa de son petit œil noir. Puis lui gratouilla délicatement le dessus du crâne. Et l'oiseau se mit à chanter.

C'était tellement beau, ces envolées de trilles parfaitement purs dans ce silence mortel, qu'ils l'écoutèrent pendant quelques instants avec recueillement.

— Fais-le taire, finit par dire le vieux.

— Pourquoi ? c'est joli ! dit Gros Jean.

— C'est joli et c'est enregistré sur leurs saloperies de machines !

À regret, Gros Jean remit l'oiseau dans sa poche.

— Ça veut dire qu'il faut fermer sa gueule ? demanda le môme.

Le vieux hocha la tête.

— Et après ? Ils vont pas nous faire un deuxième trou au cul, dit Gros Jean. Fait chier !

— Ça y est, il recommence ! dit Tristounet.

Le môme restait silencieux et observait l'œil rouge de la caméra clignoter dans l'obscurité, à l'unisson de l'autre appareil, posé un peu plus loin.

— Je crois savoir comment on peut sortir de ce trou, finit-il par dire.

Le vieux leva un sourcil étonné.

— Qu'est-ce que tu déconnes ?

— Vous connaissez l'histoire des deux puces qui marchent dans la rue ?

— Ouais, dit Gros Jean. On rentre à pied, ou on prend un chien ?

Il éclata de rire tout seul.

— À chialer, dit le vieux.

— Ben alors, on va prendre un chien, dit le môme.

— Je vous ai dit de la boucler ! râla le vieux.

— Ben non, justement, faut faire du bruit, faut les rameuter, ces gros bouffons.

— Je crois que je vais t'en coller une ! dit le vieux.

— Laisse parler le minot, merde, tu nous les casses à jouer les petits chefs !

— Et à toi aussi, Gros Jean, je pourrais en coller une !

— Vous allez pas vous battre ? fit Tristounet, qui, en guise de réponse, reçut la première tarte.

Qu'il rendit aussi sec. Gros Jean lui balança un grand coup de pied au cul, ponctué d'un : « On frappe pas le vieux » définitif.

— Ouais, c'est bon, continuez ! Ça va les faire venir !

Ce qui calma immédiatement leurs ardeurs. Ils se tournèrent vers le môme, qui les regardait, hilare.

— Je croyais que vous étiez tous mous du genou ?

— C'est vrai, dit Tristounet, c'est la première fois que je m'énerve depuis que l'autre salopard a...

— C'est bon, coupa le vieux.

— Cela dit, c'est pas mauvais de se chauffer un peu, dit Gros Jean.

— Vous savez pourquoi ? À cause de leurs machines à la con. Ça fait de l'énergie. C'est pas ce qu'ils ont dit, les tarés ?

— Et alors, monsieur Je-sais-tout ? grinça le vieux.

— Et alors, plus il y aura de leurs machines à la con, plus y aura d'énergie. Et on pourra se tirer.

Il y eut un silence. Pendant lequel ils entendirent des bruits de pas résonner.

— Ils arrivent. Faites-les chier ! cria le môme. Faites-les chier !

— Et après ?

— Après, on prend un chien, je veux dire : un vivant ! Vous êtes lourds à la détente !

Les Explorateurs de l'Au-delà déboulèrent au pas de course, Patrick parlant toujours à la caméra.

— On entend des bruits ! Il y en a partout ! Putain, c'est dingue ! C'est la première fois qu'on enregistre autant de signes paranormaux ! C'est incroyable ! Par là ! Là où on a placé la caméra et le détecteur !

Mais, une fois arrivés sur place, il n'y eut plus que le silence.

Ils fouillèrent en vain les recoins les plus sombres.

— Y a personne, dit Julie. J'ai un peu froid !

— Nous savons que vous êtes là, et nous sommes venus pour communiquer. Ben va installer un détecteur d'ondes électromagnétiques,

dont les variations nous signaleront la présence
d'énergies spectrales !

— On n'entend plus rien, dit Julie.

— Si t'entends pas, tu vas sentir, ma belle,
chuchota Gros Jean, qui se tenait à exactement
vingt centimètres de la jeune femme.

Et il lâcha un énorme pet. Un pet spécial fantôme, silencieux mais mortel.

— Qu'est-ce que c'est que ça ? cria Patrick.

— C'est monstrueux, c'est une infection !

Julie avait du mal à articuler.

— Ça pique les yeux, chuchota Ben.

— Il nous faisait ça, au boulot, ce gros salaud,
dit le vieux.

Les membres de l'équipe se protégeaient
comme ils pouvaient du miasme putride qui les
enveloppait.

— J'en lâche un autre ! avertit Gros Jean.

— Stop, dit le môme. Tu vas les tuer, on en
a besoin.

Il se tourna vers le vieux.

— À toi de jouer.

— Ça fait un bail, je l'ai pas forcément en
tête.

— T'inquiète ! Ça va revenir.

La puanteur se dissipa brusquement. L'équipe
reprit son souffle.

— C'est incroyable ce qui vient de se passer.
L'esprit nous montre clairement que nous le

dérangeons, et d'une manière assez dégueulasse, je dois le dire, commenta Patrick à la caméra. Vous ne voulez pas de nous en ces lieux ? Dites-le clairement. Ou bien vous êtes trop lâches ?

— Tu vas voir si je suis lâche, pine d'ours !

Le môme retint Gros Jean *in extremis* :

— C'est pas à toi, c'est au vieux ! Vas-y !

Le vieux se mit à chanter d'une voix éraillée, mais de toutes ses forces.

— Vous avez entendu ? Ça enregistre ?

— On dirait une chanson… chut…

— Dors min p'tit quinquin, min p'tit pouchin, min gros rogin…

— Waouh…

— J'ai vraiment les jetons, dit Julie.

— Tais-toi.

— Te m'feras du chagrin si tu n'dors point ch'qu'à demain.

— C'est une preuve irréfutable, il y a une deuxième présence ici, amicale, celle-là, qui chante. Je ne comprends pas vraiment les paroles.

— Tête de nœud ! lança Gros Jean.

Le vieux s'arrêta.

— J'en peux plus. Je l'ai pas chantée depuis…

— Je peux en relâcher un ? demanda Gros Jean.

— C'est mon tour ! dit Tristounet, soudain très en train. C'est mon tour !

De son vivant, Tristounet avait les poumons tellement remplis de poussière que l'accident n'avait raccourci que de quelques mois son entrée dans l'autre monde.

Une légère brume se forma devant le groupe.

— C'est quoi, ce truc ? Tu filmes ?

— Ouais, c'est dément !

La brume enflait, s'épaississait, se transformait en un nuage de particules scintillantes qui les entourait peu à peu.

— Je veux partir, murmura Julie au bord des larmes, je veux…

— Pour une fois qu'il y a des fantômes, fais pas chier ! la coupa Patrick… Ça va cartonner ! Putain ! Regardez, les machines s'affolent ! Ça clignote de partout !

— Tu tiens le coup ? demanda le vieux à Tristounet.

Qui ne répondit pas, tout occupé à souffler, lentement, profondément, cette putain de poussière.

— J'en peux plus, mais ça fait du bien, finit-il par dire.

— C'est le moment, dit le môme.

— Je prends la fille, dit Gros Jean.

— Tu rigoles ? Tu prends le gros ! Moi, je prends la fille !

— Ben, pourquoi ?

— Laisse-le, c'est de son âge, dit le vieux. Moi, je prends n'importe lequel, je m'en fous.

— Moi itou, dit Tristounet, qui esquissa un sourire.

Ils se sentaient légers et remplis d'une énergie qu'ils n'avaient jamais connue sous leur forme actuelle.

Un autre sentiment les habitait, mais ils avaient oublié ce qu'il signifiait : la vie. Un soupçon de vie, certes, mais suffisant pour leur insuffler ce que, même lorsqu'ils étaient des êtres humains à part entière, ils n'avaient jamais vraiment ressenti : l'espoir.

Un esprit, par définition, d'après ce qu'en disent les chasseurs de fantômes et autres chevaliers du paranormal, c'est froid. Mais eux, peut-être à cause de leur métier, des années passées dans la chaleur étouffante de la mine, eux, ils étaient brûlants.

Même le môme était chaud, il était même chaud bouillant à l'idée délicieuse de pénétrer dans cette fille ronde et tatouée.

Les Explorateurs de l'Au-delà se mirent à transpirer à grosses gouttes.

— C'est quoi ? Regarde, je sue ! Filme, Pedro, filme.

— Moi aussi, putain. Et Ben ! Il est en eau !

— Moi, j'ai juste un peu chaud, dit Julie.

— On se tire, on a tout ce qu'il faut ! On a fait un super boulot, les gars !

Gros Jean, bien installé dans le chef d'équipe, rigolait tout seul.

— On rentre à pied ou on prend un chien ! Bravo, le minot !

— On n'est pas encore sortis, tempéra Tristounet, c'est pas la peine de…

— Fermez-la, si jamais ils vous entendent ! coupa le vieux.

— Qu'est-ce que tu as dit ? demanda Pedro à Patrick.

— Rien… Pourquoi ?

— Pour rien… J'ai cru.

— Putain, ça fait du bien de revoir le jour !

Il tombait une pluie glacée par le vent qui rabattait les gouttes sur les visages de l'équipe, le ciel était d'un gris sale et uniforme, mais c'était un beau jour. C'était même le plus beau jour de la vie, façon de parler, de nos quatre esprits. Chevauchant leurs montures, qui pataugeaient dans la boue, éblouis par la lumière parcimonieuse de ce monde retrouvé, ils se laissaient bercer par une douce torpeur.

Ce fut le vieux qui se réveilla en premier.

— On fait quoi maintenant ?

Le môme ne répondit pas.

— On va pas rester à l'intérieur de ces trous de balles !

Les explorateurs avaient pratiquement atteint leur camionnette, garée sous un arbre, au bord du chemin.

— Je me sens tout faiblard, dit Tristounet.

— Faut mettre les voiles tant qu'il est encore temps ! Hein, le môme ?

Mais le môme rêvait, il rêvait à Julie, dans Julie, il pouvait sentir sa douce odeur de sueur, mêlée à son parfum.

— T'as raison, dit Gros Jean, moi aussi je commence à fatiguer.

— Mais comment on fait ? demanda Tristounet. Le môme, comment on fait ?

— Je bande, dit le môme dans un souffle.

— Manquait plus que ça, grogna le vieux. M'en fous, j'y vais !

Pedro sursauta et manqua tomber.

— Qu'est-ce t'as ?

— Je sais pas, un vertige.

Patrick exhala un énorme rot, qui lui contracta l'estomac.

— On est mieux dehors, dit Gros Jean. Allez, Tristounet, tire-toi !

— Peux pas, répondit-il.

L'équipe commençait à ranger le matos dans la camionnette.

— Fais un effort, merde, dit le vieux.

— Peux pas, répéta Tristounet.

— Pense à ce salopard de vendeur de voitures... Peut-être qu'il est toujours en train de niquer ta femme.

— Elle aurait cent cinq ans... Arrête tes conneries !

— Si le môme peut bander, rien n'empêche ces deux-là de niquer, conclut le vieux.

L'idée dut galvaniser Tristounet, qui rassembla ses dernières forces pour s'échapper. Ben fut pris d'une grosse quinte de toux, qui le plia en deux.

— Allons-y, dit le vieux.

— Et le môme ?

— Le môme, y fait ce qu'il veut.

— C'est salaud, dit Gros Jean, c'est grâce à lui qu'on est là. Hé, le môme ! Viens ! Sors de là !

Les explorateurs avaient fini de ranger leur matériel, ils s'installaient dans la camionnette, seule Julie traînait un peu, les yeux dans le vague.

— Qu'est-ce tu fous ? Monte !

Elle ne répondit pas et ferma les yeux.

— Qu'est-ce qu'elle a ?

Patrick redescendit et s'approcha d'elle. Elle se tenait immobile, les yeux clos, respirant par petites saccades, un léger sourire aux lèvres.

— Hé, Julie ! Julie ! Réveille-toi !

La jeune fille poussa un gémissement très doux.

— Ça va pas ? Tu as mal ?

C'est alors que Gros Jean intervint, à sa manière, avec une efficacité qui avait déjà fait ses preuves.

Julie poussa un cri en ouvrant les yeux.

— Ça recommence, cette odeur !

Elle se pinça le nez très fort.

— T'es vraiment un con, dit le môme.

— T'as dû marcher dans une bouse, lança Patrick ! Allez, monte ! Regarde ça, t'es trempée, il pleut des cordes.

— Si tu restes, t'es fait comme un rat, dit le vieux, tu pourras plus sortir, jusqu'à leur prochaine émission.

— Lâche-moi !

— Et tu vas tomber sur qui, corniaud ! Des malades, des criminels ? Où tu crois qu'ils vont faire leurs conneries ? Allez viens !

La fille s'était assise à l'arrière, encore un peu remuée, un reste de remugle dans les narines. Puis l'oiseau s'échappa de la poche de Gros Jean et se mit à voleter, se posant sur l'épaule de l'un et de l'autre.

Ce fut cette vision qui décida le môme à les rejoindre.

La fille ressentit un léger spasme dans son ventre, comme un chatouillement.

Et la camionnette démarra.

La pluie s'était arrêtée et un soupçon de soleil commençait à pointer.

— On n'est pas bien ? demanda Gros Jean. Hein, Cui-cui, on n'est pas bien ?

L'oiseau vint lui becqueter l'oreille.

— On va où ? demanda Tristounet.

— Où on veut, c'est un de nos seuls avantages, répondit le vieux.

Le môme restait silencieux, encore sous l'émotion d'avoir perdu sa virginité spectrale d'une aussi surprenante façon.

Lorsqu'ils arrivèrent au niveau du vieux cimetière, le vieux fut le premier à s'arrêter. Tristounet et Gros Jean le rejoignirent.

— Tu te souviens ? dit le vieux. C'était une belle cérémonie.

— Tout le monde était là, même les huiles du département, même le préfet, répondit Gros Jean.

— Même ma femme, ajouta Tristounet.

— Vous allez pas rester plantés ici comme des nazes ! lança le môme. Vous voulez qu'on vous dépose des gerbes ?

— Je vois que tu es de retour parmi nous, dit le vieux.

— Il a tiré son coup, ça fait du bien. Surtout la première fois.

— C'était pas la première fois, c'était pas la première fois !

— Et mon cul, c'est du poulet ?

— T'as pas fini d'être grossier ? fit Tristounet.

— Je rigole, s'excusa Gros Jean. Y a pas de mal.

— C'était pas ma première fois ! Et de loin !

Personne ne releva.

Comme ils se remettaient en route, un aboiement retentit, lointain mais très distinct. Un aboiement de vieux chien, enroué, aigu et sifflant.

Le vieux s'arrêta net.

— Bon Dieu de Bon Dieu de Bon Dieu ! Totor ! C'est Totor !

Et il retourna au pas de course dans le cimetière.

— N'importe quoi, dit le môme. J'ai même pas entendu.

— Moi, j'ai entendu, dit Tristounet. Y a qu'un chien qui aboie de cette façon. C'est Totor. Il aboyait tout le temps, ce clébard, et il puait de la gueule.

— Moi, si je tombe sur ce putain de greffier qui a bouffé mon canari, je lui arrache les couilles, dit Gros Jean.

Les aboiements reprirent et se rapprochèrent.

— Qu'est-ce que je vous ai dit ! Il a jamais su le dresser, son chien.

Il faisait grand soleil maintenant. Six fantômes cheminaient sur la route, dont un qui aboyait tout le temps après l'oiseau, lequel par vengeance, sans doute, lui fientait régulièrement sur le museau.

Ce qui faisait marrer le môme. Il gratta l'oreille de Totor, qui lui lécha la main en retour.

— C'est quoi, ton p'tit nom ? lui demanda Gros Jean.

— Rémi. C'est un nom à la con.

— Pas du tout, dit le vieux. Moi, je m'appelle Gaston, ça, c'est un nom à la con. Hein, Totor ?

Le chien répondit par une série d'aboiements à vous déchirer les tympans.

— Et toi, Tristounet, tu t'appelles comment ? dit le môme.

— Salvatore.

— T'es Rital ?

— Mon vieux. Il est venu de Toscane une main devant, une main derrière, et il a juste eu le temps de me faire, avant de se choper un coup de grisou. On n'a pas de chance dans la famille. Non, on n'a pas de chance. On crève tous à la mine. Encore heureux que j'aie pas fait de gosse.

— Arrête de chialer, dit le vieux. T'y es plus, à la mine.

— Je chiale pas, je constate. Toi, tu as Totor, Gros Jean a Cui-Cui, et moi, j'ai quoi ?

— Tu nous as, tu as les meilleurs potes du monde, à la vie à la mort. Et si tu veux, je te prête Cui-Cui.

Cui-Cui décolla de l'épaule de Gros Jean et vint virevolter autour de Tristounet. Totor se mit à gueuler, Cui-Cui lâcha une fiente, qui atterrit par mégarde sur le front de Tristounet.

— Quand je vous dis que j'ai pas de chance.

Ils le regardèrent et éclatèrent de rire.

Les rires des fantômes heureux sont comme des petites notes de musique dans l'espace.

C'est ce qu'entendit un cycliste qui les croisa, et ce, malgré le casque audio qui lui déversait du RnB dans les oreilles. Étonné, il s'arrêta, enleva son casque et vérifia le branchement de son MP3. C'est alors qu'il entendit un grondement sourd derrière lui. Il aperçut le train juste à temps pour quitter la voie ferrée.

ADOPTEUNZOMBIE.COM

Durant des millénaires, l'humanité s'était posé la question : qu'y avait-il après la mort ? Et nous avions enfin la réponse : il existait effectivement une vie après la mort, et c'était pas terrible.

Au début, ça avait semé une sacrée panique. Pourtant nous avions été nourris pendant des décennies aux feuilletons, aux BD, aux films sur les zombies, à grand renfort de latex, de viande hachée, de litres d'hémoglobine et de tonnes d'effets spéciaux tous plus gerbants les uns que les autres.

Nous aurions dû être préparés à voir déambuler des morts-vivants en loques dans les rues de nos cités. Mais ces monstres de cinéma ne ressemblaient en rien à ceux auxquels nous étions confrontés. Les scénaristes s'étaient collé le doigt dans l'œil jusqu'au fondement.

Nos zombies à nous ne mangeaient pas de chair humaine, ils n'étaient pas guidés par le besoin insatiable de bouffer du vivant. Nos zombies à nous recherchaient avec gloutonnerie de la chaleur humaine, ils chassaient le pékin imprudent dans le seul but de lui faire ce qu'il faut bien appeler des *câlins*. De gros câlins puants et suintants de liquides corporels.

Par-dessus le marché, nos zombies adoraient le glucose. Tout ce qui était sucré les rendait dingues.

Leur première victime fut un diabétique, qu'ils commencèrent par câliner et finirent par déguster morceau par morceau. Vous me direz, si vous n'aviez pas ce genre de pathologie vous étiez peinard, quitte à essuyer quelques caresses putrides et bien baveuses de nos chers disparus. Mais pas mal de gens succombèrent tantôt à des crises cardiaques, tantôt à de méga réactions allergiques à tous les germes que nos zombies distribuaient généreusement à chaque étreinte.

Et pas question de leur éclater la tête pour les arrêter. Là-dessus aussi, les scénaristes s'étaient plantés.

Un coup de pelle, de hache, de fusil dans le crâne les faisait seulement tituber, vous vous retrouviez couvert de matière cérébrale et ils continuaient frénétiquement à vous serrer dans leurs bras visqueux, non pas en grognant, mais

en ronronnant. Curieux, ces choses-là ronron-
naient comme des chats.

La première mesure prise, au vu de toutes ces
données, fut de balancer des tonnes de sucre en
poudre sur leur passage, d'attendre qu'ils se ras-
semblent en tas, puis de les brûler au lance-
flammes ou, plus exactement, de les caraméliser.

Ça avait bien fonctionné, au début. Bien sûr,
c'était toujours douloureux pour les familles de
voir cramer mamie ou papi, ou le petit frère trop
tôt disparu.

Et puis il y eut le cas du rescapé. En flammes,
il réussit à ramper aux pieds d'un soldat et à lui
caresser les chevilles d'une main encore intacte,
dans un ultime ronronnement. Du coup, les
réseaux sociaux aussi s'enflammèrent. La vidéo
devint virale et un mouvement spontané péti-
tionna pour qu'on revoie la question des zombies. Avait-on le droit d'exterminer d'une façon
aussi barbare des êtres qui, après tout, ne voulaient qu'un peu de tendresse ?

Les autorités répondirent qu'avec un nombre
estimé à deux milliards de sujets, il était quasi
impossible de faire dans le social. Et qu'avec
ces putains de morts-vivants (ce ne fut pas
exprimé officiellement, mais une fuite révéla
au grand public les termes exacts employés par
les gouvernants), le monde courait droit à une

catastrophe économique d'une ampleur sans précédent.

Ce n'était pas totalement faux.

Les vergers étaient dévastés, les rayons confiserie des supermarchés mis à sac malgré les lance-flammes. Les fabricants de bonbons, de chocolat, de pâte à tartiner, de biscuits en tout genre faisaient faillite les uns après les autres. Et comment bosser au bureau, à l'usine, dans les champs avec ces choses collées à vous, dont la pestilence faisait vomir l'objet de leur affection, sans compter les vêtements bons à jeter et le nettoyage au Kärcher après leur passage ?

Les chefs de gouvernement ne sortaient pratiquement plus de leurs bunkers, ne communiquant qu'en vidéoconférence, et le commun des mortels se débrouillait comme il pouvait, s'aventurant dehors les poches pleines de paquets de sucre en poudre, les plus courageux s'armant d'un fer à souder, car les zombies brûlaient particulièrement vite.

Et comme les gens continuaient à mourir, ce qui, en temps normal, est dans l'ordre des choses, la situation s'aggravait.

Le monde entier puait. Mais ça, on avait fini par s'y habituer.

Les scientifiques déclarèrent que cet impensable phénomène était dû à un virus – une nouvelle qui n'étonna personne, les auteurs de science-fiction nous y ayant préparés : sur ce coup-là, ils avaient vu juste.

Finalement, ce qui résistait le mieux, c'était le salé et le numérique. Le mouvement Prozombie prit sur la toile une ampleur insoupçonnée, faisant du zombie martyr sa figure emblématique. Ses membres le baptisèrent « zombise ». Au début, ce nom déchaîna les railleries, mais en fin de compte il correspondait assez bien au comportement de nos morts-vivants. Lorsque les Fucking Mother Fuckers créèrent le fameux rap « Fuck me zombise », le titre devint immédiatement un tube planétaire.

Et puis le sucre vint à manquer. Pour l'humanité accro à cette substance, les effets ne tardèrent pas à se manifester : dépression, morosité, nervosité, élans incontrôlés d'agressivité. Dans les cas extrêmes, suicides, ce qui alimentait les troupeaux de zombies.

Après concertation, les pouvoirs en place décidèrent de relancer la production du tabac à bas prix : on déversa par gros-porteurs des tonnes de cartouches sur les pays les plus touchés. Le passage d'une drogue à une autre s'effectua avec plus ou moins de succès, à grand renfort de slogans, dont le plus connu : « Manque de sucre ? Nicotinez-vous ! » On devint fumeur par nécessité.

Le plus dur fut pour les enfants, gavés aux confiseries dès leur plus jeune âge. On créa pour les familles des cartes de sucre qui donnaient droit à de parcimonieuses rations, uniquement réservées aux plus jeunes.

Le côté positif de l'histoire fut de voir le nombre d'obèses chuter de cinquante pour cent, les dirigeants du tiers-monde obligés de mettre la main à la poche sur leurs réserves personnelles (qui étaient *devenues* personnelles, entendons-nous) pour distribuer de la nourriture aux plus démunis et ralentir ainsi les morts par malnutrition. De nombreux États suspendirent l'application de la peine de mort.

Pendant que le monde se réorganisait tant bien que mal, les zombises, dans leur quête permanente de câlins, traquaient les vivants sans relâche. Des hordes déambulaient dans les rues, et malheur au promeneur isolé, victime de cette sorte de gang-bang.

C'est alors qu'un début de solution arriva, non pas des hautes sphères gouvernementales, mais par le biais d'une charmante petite ouvrière allemande qui travaillait dans une fabrique de saucisses à Francfort.

Angela, appelée ainsi par ses parents en l'honneur de la chancelière qui, à quatre-vingt-sept ans, était toujours à la tête du pays, Angela donc, après réflexion, se dit que l'action individuelle serait peut-être plus efficace que l'action de groupe.

Elle avait testé cette stratégie lorsque son usine avait menacé de se délocaliser en Tchéquie. Les grèves menées par les syndicats n'avaient abouti qu'à une impasse. L'usine était la propriété exclusive d'une famille plus que richissime qui avait assis sa fortune sur l'élevage industriel de porcs et le retraitement des déjections en engrais. Ils avaient ensuite investi dans les produits cosmétiques à bas coût et fournissaient la gélatine utilisée dans les préparations. Bref, pour eux, tout était bon dans le cochon.

Jusqu'au moment où Angela s'était acheté une Go Pro, avait dragué un benêt, employé dans une de ces gigantesques porcheries, qui lui avait permis d'y pénétrer, et avait réalisé une vidéo décrivant l'insoutenable réalité de ces camps de la mort porcins. Qu'elle avait balancée sur le plus gros site de défense animale du pays, composé de purs et durs, végétaliens pour la plupart, qui n'avaient pas peur d'aller direct à la baston.

Malgré la présence des forces de l'ordre, les nombreux activistes engagés sur les lieux avaient réussi : un, à libérer quelques centaines de cochons ; deux, à alerter massivement l'opinion ; trois, à déstabiliser durablement les propriétaires de l'entreprise. Qui eurent soudain d'autres chats à fouetter que la délocalisation de la fabrique de saucisses.

Angela avait sauvé, sans que personne le sache, les emplois de quelque cent cinquante employés. Et, grâce à elle, les élevages industriels furent sévèrement réglementés.

C'est alors que les hordes de morts-vivants affamés d'affection avaient déferlé sur le pays.

À cette époque, Angela avait quitté son usine, était devenue végétalienne et travaillait comme serveuse dans une pizzeria. La pizza présentant un taux élevé de glucides, de nouveaux amateurs affamés s'y ruèrent et Angela dut essuyer, au sens propre, à de nombreuses reprises, les effusions insistantes des zombises.

Or, malgré de multiples et savantes études menées sur leur comportement, aucune n'avait encore souligné le fait que les zombises pouvaient être rassasiés et que, une fois rassasiés, ils sombraient dans un sommeil comateux qui durait des heures.

De cela, Angela se rendit compte le jour où un gamin zombise s'agrippa à sa jupe et où elle n'eut pas le cœur de le rejeter d'un coup de pelle. Elle lui caressa légèrement la tête, du moins ce qu'il en restait, en retenant sa respiration, et il s'endormit à ses pieds.

Il suffisait de rendre le câlin.

Évidemment, c'était plus facile à dire qu'à faire : passer au-dessus de la répulsion, accepter d'être englué dans leurs bras et oublier la pestilence qui persistait malgré de nombreuses ablutions.

D'où l'idée brillante qui germa dans sa tête : si chacun adoptait un zombise, le problème serait quasiment réglé. Suivant une stratégie qui avait plutôt bien marché, Angela séduisit Dieter, un jeune et talentueux informaticien. Elle n'eut d'ailleurs pas trop à se forcer, il était plutôt beau gosse.

Emballé par le concept, Dieter l'aida à créer le site désormais mondialement célèbre : Adopt-a-zombise.com. Ils furent les premiers à adopter trois spécimens, leur créant un espace réservé dans la maison du jeune homme.

Vu le succès quasi immédiat du site, ils lancèrent des tutoriels indispensables aux futurs adoptants.

- Comment surmonter son dégoût
- Combien de contacts par jour
- Quel habitat leur réserver
- Comment se protéger des miasmes
- Comment retrouver un parent décédé.

Angela et Dieter étaient riches, célèbres et bourrés d'idées, toutes plus rentables les unes que les autres. Merchandising en ligne avec lessive spéciale, déodorants, habitat en kit, vêtements jetables et assurance zombise en cas d'infection ou d'allergie.

Elle dépensa une grande partie de cette richesse à créer des sanctuaires animaliers, créant de multiples fondations à travers le monde. Dieter et elle vécurent heureux pendant de nombreuses années, n'eurent pas d'enfants mais adoptèrent au total une dizaine de zombises.

Jusqu'au jour où Angela surprit Dieter en train de se bourrer en cachette de biftecks hachés. Anéantie par cette trahison, elle divorça. Désespéré, incapable d'imaginer la vie sans elle, Dieter choisit l'ultime solution pour ne pas être séparé d'elle : il se suicida.

Et Angela adopta son onzième zombise.

Faites pousser un extraterrestre

Il avait déniché la vieille librairie au hasard de ses pérégrinations du samedi, dans une petite rue qui longeait le Père-Lachaise. Il avait d'abord cru qu'elle était fermée, vu la saleté de la devanture. À travers la vitrine poussiéreuse, on distinguait à peine les piles de livres, entassées à même le sol. Et là, l'instinct du chasseur de trésors lui avait agréablement titillé les neurones. Abel poussa la porte, qui céda en grinçant.

Personne à l'intérieur, apparemment. Il appela plusieurs fois, en vain, le propriétaire des lieux. Il jeta un coup d'œil sur les milliers de volumes, la plupart en piteux état, entreposés dans le plus grand désordre, et ne vit rien qui l'intéressait. Il s'apprêtait à sortir lorsqu'une voix nasillarde l'arrêta.

— Vous cherchez quelque chose en particulier ?

Abel découvrit dans le fond de la boutique un petit homme aussi poussiéreux que ses bouquins, un bonhomme sans âge, le visage étroit mangé par de gros hublots triple foyer qui lui donnaient un air batracien.

— Je ne pense pas que vous ayez ce que je cherche.

— Dites toujours, fit le libraire en s'approchant.

Il lui arrivait à peine à l'épaule, et pourtant Abel n'était pas un gros gabarit.

— Des BD. Des BD anciennes, comme *Tarzan* ou *Blek le Rock*.

— Ça, je n'ai pas.

— Pas grave, au revoir.

Il allait pousser la porte, quand le bonhomme revint à la charge :

— Attendez, j'ai peut-être quelque chose pour vous.

Il disparut dans l'arrière-boutique et en revint avec un gros carton dans les bras, qu'il posa sur une pile de livres. Puis il attendit en silence qu'Abel l'examine.

À l'intérieur, des dizaines de magazines défraîchis, des *Fillette*, *Mireille*, *Lisette*, des *Semaine de Suzette*. Abel ne se donna pas la peine d'aller plus avant :

— Je ne collectionne pas ce genre de revues. En tout cas, merci d'avoir pris le temps.

Une main osseuse se posa sur son bras. Abel eut la sensation désagréable d'être tenu par des griffes.

— Et ça, ça pourrait vous intéresser ?

Le libraire lui désignait, au fond de la boîte, un gros dossier cartonné tenu par des ficelles.

— C'est quoi ?

— Mais regardez…

Abel dénoua les ficelles et ouvrit le dossier.

Et là, son cœur battit un peu plus vite.

Une dizaine de *Pif Gadget*, parfaitement conservés, sous Cellophane, neufs à vrai dire, avec leurs gadgets intacts. Ils dataient de 1969, l'année de création du magazine.

Vingt ans avant sa naissance. Abel se contint pour ne pas se jeter dessus et prit un magazine le plus nonchalamment possible : le pois sauteur du Mexique. Celui-là, il l'avait déjà, en nettement moins bon état. Il se rappelait avoir eu un instant la tentation enfantine d'ouvrir le sachet pour voir sautiller le petit haricot ; une idée stupide, le ver qui l'habitait étant réduit à l'état de poussière depuis des années.

Un vrai collectionneur n'ouvre jamais un emballage, et évite de décoller la moindre étiquette. Abel était un vrai collectionneur.

— Amusant, laissa-t-il tomber.

— Ça vous intéresse ? Je peux vous faire un prix pour le tout, nasilla le bonhomme.

— Faut voir, répondit Abel avec un manque d'enthousiasme parfaitement imité.

— Cinquante pièce, dit le libraire.

Abel reposa le magazine dans le carton.

— Hors de prix. Merci du dérangement.

— Ça vous fait cinq euros le tout, vous voulez que je vous les donne, peut-être ? ajouta l'homme avec un petit rire grinçant.

Abel masqua son excitation :

— Ça me paraît raisonnable.

— Je vous les mets dans un plastique ?

— Non, merci.

Il sortit de sa poche un billet de cinq et enfourna les magazines dans sa sacoche, sans prendre le temps de les examiner plus en détail.

Comme il sortait, le libraire lui lança :

— À bientôt, j'espère. Souvent j'ai du nouveau.

Tu parles, qu'il reviendrait. Bien sûr qu'il reviendrait !

Abel Schmidt habitait un grand studio en périphérie de Paris, un endroit qui avait dû être confortable mais dont la surface, au fur et à mesure des acquisitions de son locataire, avait considérablement rétréci.

Des étagères pleines à craquer de bandes dessinées occupaient pratiquement tous les murs et des figurines de héros parfois cinquantenaires, dans leur emballage d'origine, s'alignaient dans des placards dont Abel avait ôté les portes. Dans une vitrine trônaient les pièces maîtresses : un jeu d'échecs *Star Wars*, un Marsupilami surdimensionné, un téléphone *Star Trek* et, le plus remarquable, un exemplaire très bien conservé du *Petit Vingtième*, avec en couverture *Les Cigares du Pharaon* encadré par deux statuettes en bois du fétiche Arumbaya. Même autour du lit des cartons s'empilaient, remplis d'objets et de journaux qui n'avaient pas trouvé leur place.

Sous le coup d'une agréable excitation, qu'il éprouvait à chacune de ses découvertes, Abel sortit le dossier cartonné de sa sacoche et le posa sur la table pour en examiner le contenu.

Hormis le pois sauteur, il y avait « la reine pétillante », une poudre magique pour faire du soda, le stylo de l'agent secret – Abel eut un petit rire convulsif, c'était le premier, le tout premier gadget du magazine, qui écrivait à l'encre invisible ! –, les lunettes sidérales pour voir sans être vu, un stylo siffleur qui pouvait compléter la panoplie, et puis une soucoupe volante, un vrai trèfle à quatre feuilles, des pifises, des œufs de mini-crustacés qui s'animaient au contact de l'eau, et...

Le numéro suivant contenait un gadget particulièrement inattendu, qui le fit sourire plus que les autres : « Faites pousser un extraterrestre ».

Sous la Cellophane, on voyait un petit sachet de tissu et un pot en carton à monter soi-même. Le commentaire de la couverture disait : *Il deviendra ton ami.*

Abel décida que ce numéro méritait de trôner en bonne place et il lui en trouva une, bien visible, sur l'étagère dédiée à Tom la Foudre, juste en face de son lit, sous une grande illustration de son super-héros favori tenant dans ses bras la somptueusement sensuelle Arielle Starlight, sa partenaire dans la lutte contre le mal.

Il mangea à la va-vite un plat surgelé réchauffé au micro-ondes, les *Pif Gadget* étalés sur la table. Il avait fait une affaire incroyable, le vieux n'avait aucune notion de la valeur de ce qu'il lui avait vendu. Mais surtout, il flottait un doux parfum d'enfance autour de ces magazines.

« Faites pousser un extraterrestre. » Abel riait dans sa barbe, et ce n'était pas qu'une expression, il considérait que le duvet roux ornant ses joues méritait cette appellation. Qu'est-ce qu'ils avaient bien pu trouver ? Il alla chercher le magazine sur l'étagère. Le mode d'emploi et les détails du gadget devaient être à l'intérieur.

Il tâta délicatement le petit sac en toile jaune à travers la Cellophane. Il sentit sous ses doigts ce qui devait être une graine, de forme oblongue.

Il remit le magazine à sa place, se déshabilla et enfila un pyjama informe et confortable. En vidant ses poches, il s'aperçut que son portable était sur silencieux et que Clémence l'avait appelé. Elle lui avait aussi laissé un texto : elle passerait le prendre le lendemain comme convenu pour aller au Salon du Vieux Papier.

Clémence Le Pitois était une gentille fille un peu fade, un peu beige, avec qui Abel avait noué des liens un peu lâches sur son lieu de travail, à la mairie, au service de l'état civil. Ils se côtoyaient tous les jours, lui, assis derrière le guichet des naissances, elle, derrière celui des décès.

Ils avaient vaguement flirtouillé au pot de départ à la retraite d'un collègue et, d'un commun accord, avaient décidé d'en rester là. Abel ne cherchait pas vraiment une petite amie, parce que ses goûts en matière de femme étaient nettement au-dessus de ses moyens.

Il finit sa soirée, affalé devant la télé, à déguster les derniers épisodes du coffret qu'il s'était offert sur le Net. *La Quatrième Dimension*. Une réédition complète de la série originale.

Ça l'amena sur les coups de 1 heure du matin. Il se mit au lit, feuilleta un vieux *Tex Tone* qui traînait, avant d'éteindre le chevet. Dans l'obscurité, une lumière diffuse lui fit rouvrir les yeux.

Sur l'étagère brillait en lettres phosphorescentes la phrase d'accroche de la couverture : *Il deviendra ton ami.*

Abel glissa dans le sommeil, un sourire aux lèvres. Au milieu de la nuit, il rêva qu'il avait planté la graine et qu'il en poussait à toute vitesse un petit homme vert qui se tortillait pour sortir de son pot. Il finissait par y parvenir et courait partout dans la pièce, Abel essayait de le rattraper et le petit homme lui mordait le doigt. Il se réveilla, la sensation de morsure curieusement présente. Son regard se posa sur le magazine qui luisait sur l'étagère. Il eut un petit rire et se rendormit.

La sonnette de l'entrée le tira brutalement du sommeil. La tête vide, il alla ouvrir la porte comme un robot.

— Ben, t'es pas prêt ?

— Hein ?

— Il est 3 heures, le temps d'y aller. T'as pris un truc pour dormir ?

— Non... Excuse-moi... J'ai mal au crâne.

— Je peux pas t'attendre, je suis garée en double file. T'aurais pu le dire que tu voulais pas venir !

— Mais si, Clémence, mais si, j'avais même mis le réveil, j'ai rien entendu, je suis désolé.

— C'est ouvert jusqu'à 8 heures, tu me rejoins. Qu'est-ce qu'il est moche, ton pyjama.

— Hein ?

Mais Clémence était déjà repartie.

Abel finit vraiment de se réveiller, une fois son petit déjeuner avalé. Il ouvrit les rideaux et vit qu'il pleuvait des trombes.

Il n'avait pas la moindre envie de mettre un pied dehors, il allait tranquillement traîner en pyjama toute la journée – quoi qu'en pense Clémence, il aimait beaucoup ce pyjama. Il regarderait la série *Flash Gordon*, celle en noir et blanc de 1954 dont il n'avait vu que quelques épisodes. Encore fallait-il qu'il la déniche dans son fatras. Il se rappela qu'il l'avait posée en toute logique sur l'étagère des *Tom la Foudre*, son homologue français. C'est-à-dire à côté du *Pif Gadget*.

« Faites pousser un extraterrestre. » Quelle astuce avaient-ils bien pu trouver ?

Il ouvrit son ordinateur et éplucha sur le Net la liste des six cent cinquante numéros parus depuis 1969, mais ce gadget ne s'y trouvait pas. Et ce site-là était fiable.

Cela attisa encore plus sa curiosité.

C'est alors qu'il fit une chose qu'il n'avait jamais faite, très vite, comme un voleur : il attrapa le magazine, découpa l'enveloppe Cellophane aux ciseaux, et en sortit le pot et le petit sachet.

Il chercha dans les pages intérieures l'explication et le commentaire qui accompagnaient chaque gadget, mais ne trouva rien. Au dos du sachet, il y avait juste une inscription, en lettres minuscules mais parfaitement lisible : « Mets-moi avec la poudre dans le petit pot. Donne-moi de l'eau et de la lumière. Merci. »

Son excitation retomba d'un coup. Bien sûr, c'était une plante sensitive, tu la touches et elle se rétracte sous l'effet de la chaleur. Un abruti quelconque avait dû faire la blague et ça avait atterri chez le vieux bonhomme. Cela dit, ce type-là s'était donné du mal, et finalement ç'aurait pu être un vrai gadget. C'était plutôt marrant. Abel se sentait même plutôt fier de posséder le seul exemplaire contrefait du journal.

Le montage ne fut pas aussi facile qu'il le pensait, il y avait des fentes à peine visibles sur la surface et il fallait recourber le carton sans faire de plis. Ça lui prit un bon quart d'heure. La plupart des gosses n'y seraient pas arrivés.

Le sachet contenait une poudre vert amande, fine et douce comme du kaolin, avec, sur le dessus, une graine de la taille d'une gélule, aux contours parfaitement réguliers et de couleur turquoise.

Il posa le pot sur une étagère près de la fenêtre, après l'avoir arrosé d'une larme d'eau minérale.

Il dégusta ensuite cinq épisodes de *Tom la Foudre*, l'esprit tranquille et fasciné par la beauté de l'actrice qui jouait Arielle Starlight, tout en mangeant, dans l'ordre : deux barres chocolatées, une pizza à peine chaude, un paquet de chips un peu rances, une soupe de nouilles chinoises et deux bananes qui commençaient à mûrir sérieusement, le tout arrosé d'un litre de Fanta orange qu'il avait retrouvé coincé entre deux cartons et qui était tout, sauf frais. Il se rendit compte de la quantité de nourriture qu'il avait absorbée quand, après coup, ça lui tomba sur l'estomac.

Il avala deux Alka Seltzer pour réparer les dégâts et éprouva une grosse envie de dormir. Ce qu'il fit, d'une traite, jusqu'au lendemain.

Clémence lui fit ostensiblement la tête, bien qu'il se fût excusé platement. Pour se rattraper, il l'invita dans un kebab du quartier. Il tenta de lui parler du gadget, de la façon dont il l'avait trouvé, mais elle ricana en lui demandant son âge et se focalisa sur sa collection de *Jardin des Modes* et de patrons qu'elle avait découverts la veille, et qui étaient tous, selon elle, absolument fantastiques, au point qu'elle allait récupérer la Singer de sa grand-mère afin d'en réaliser quelques-uns.

Abel n'avait rien à foutre de *Jardin des Modes*. Il n'arrivait pas à en placer une tellement Clémence était excitée. Il trouva ça grossier de sa part et se dit qu'elle était vraiment conne, en plus d'être fade. Entre déclarations de naissances et certificats de décès, ils ne s'adressèrent pas la parole de la journée.

À 17 h 30 pétantes, Abel quitta son poste et fila voir le vieux libraire. Il voulait absolument savoir comment il s'était procuré ce *Pif*, qui n'était répertorié nulle part. Mais la boutique était fermée et, en regardant à travers les vitres, il vit qu'elle était vide. Plus un bouquin, rien.

Il alla se renseigner au tabac qui faisait l'angle de la rue. Il demanda au patron quand avait fermé la vieille librairie et ce dernier rigola :

— Quelle librairie ? En face ? C'est fermé depuis dix ans. Vous arrivez un peu tard.

Il avait acheté une revue qui n'existait pas dans une librairie fermée depuis dix ans.

Là, ça prenait un tour carrément angoissant. Ou alors, il devenait cinglé. Ou alors, c'était une émission de télé genre caméra cachée, et il l'aurait mauvaise. Mais on fait ça aux gens connus, pas aux anonymes dans son genre.

Il mijotait toutes les hypothèses en rentrant chez lui.

Quand il ouvrit la porte, une odeur particulière le saisit. Ça sentait... ça sentait l'herbe, l'herbe fraîchement coupée. Et, sur l'étagère, il y avait maintenant deux tiges d'une bonne

vingtaine de centimètres, couronnées de plusieurs bourgeons. Dans un pot en carton de dix
centimètres de hauteur.

Il eut la sensation de se retrouver direct dans
un épisode de *La Quatrième Dimension*. Il respira
un grand coup. On se calme, on redescend,
après tout ce n'est qu'une plante, plutôt moche,
d'ailleurs.

— Tu crois que tu me fais peur ? Pauvre
touffe !

Il ouvrit la fenêtre et posa le pot contre la
balustrade.

Il pensa à *La Petite Boutique des horreurs* et ça
le fit rigoler. Il l'avait revu quelque temps auparavant. C'était vraiment un très bon film. Il
allait se le passer une fois de plus, tiens, en
mangeant la dernière pizza qui lui restait.

Cette nuit-là, il rêva d'Arielle Starlight. Il la
prenait dans ses bras, c'était une impression
grisante. Il allait l'embrasser, quand une voix
l'interrompit :

— On se les caille dehors !

Abel se retournait et découvrait la plante dont
les bourgeons avaient éclos, semblables à des
petites têtes, et les petites têtes lui parlaient.

— Faut me rentrer, je vais crever.

Il répondait qu'il en avait rien à foutre, qu'il
avait mieux à faire, et allait demander à Arielle

d'excuser l'intrusion, lorsqu'il s'aperçut qu'elle avait disparu.

— On serait dedans, elle serait encore là, ta chérie !

Il ne connut jamais la suite des événements, car son radio-réveil se mit en marche et il se réveilla, furieux. C'était la première fois qu'il rêvait d'Arielle, et cette saleté de plante se permettait de s'immiscer entre eux ! C'était simple, direction poubelle !

Il bondit du lit, ouvrit la fenêtre avec la plus grande détermination, mais ce qu'il découvrit le figea net.

Les bourgeons avaient éclos et de petites têtes feuillues s'agitaient imperceptiblement au bout des tiges. Il les vit nettement se tourner vers lui, comme si elles allaient lui parler.

Il referma la fenêtre et s'effondra sur une chaise.

Ça devenait sérieux. S'il était victime d'hallucinations, il devait faire quelque chose.

Et rapidement.

Consulter un psy quelconque. Non, pas quelconque, il devait trouver le meilleur. Mais comment ? Hors de question d'en parler au travail, et son seul ami, qu'il connaissait depuis l'enfance, s'était expatrié trois ans plus tôt au Canada.

Quant à Internet, où il y avait à boire et à manger, il fallait vraiment étudier la question avant de contacter quelqu'un.

Il arriva en retard à la mairie, parce qu'il avait passé plus d'une heure et demie sur la Toile avant de découvrir la solution, en la personne de Vladimir Grof, spécialiste des troubles de la personnalité, mondialement réputé.

Comme Clémence l'ignorait d'une manière ridiculement ostentatoire, il profita de la pause déjeuner pour appeler le cabinet du praticien. Il lui fut répondu qu'il y avait trois mois d'attente pour obtenir un rendez-vous.

Le moral dans les chaussures, Abel eut alors, guidé par l'énergie du désespoir, une idée de génie. Il rappela. Tomba sur la même secrétaire, dédaigneusement polie, et ils eurent la conversation suivante.

— Oui, monsieur, je me souviens de vous, mais je vous le répète, il n'y a aucune date avant fin novembre.

— C'est dommage. Je veux dire, c'est dommage pour cette jeune femme.

— Pourquoi, le rendez-vous n'est pas pour vous ?

— Si. Mais je dis c'est dommage pour elle, parce que, fin novembre, elle sera morte.

— Pardon ?

La voix perdit de son vernis condescendant.

— Elle sera morte, ce n'est pas que j'aie envie, mais je dois le faire.

— Comment ça, monsieur ?

— C'est l'empereur Ming qui m'y oblige. Moi je ne veux pas, mais je l'entends tout le temps dans ma tête. Pourtant elle est gentille, Clémence, moi je ne veux pas, mais tout seul j'y arrive pas. Si on ne m'aide pas, faudra pas vous plaindre… Au revoir.

— Attendez !

Le mot était imprégné de panique.

— Ne raccrochez pas… Je vais voir ce qu'on peut faire.

Il y eut un temps d'attente assez long, accompagné d'une musique tibétaine pas franchement réconfortante. Mais Abel obtint son rendez-vous. Pour le surlendemain. Si les flics ne venaient pas l'arrêter d'ici là, c'était bon.

Ce soir-là, il ne prit pas la peine de dîner, de toute façon son frigo était vide, et s'avala deux somnifères par précaution.

Il fit des rêves brumeux, avec pour tout souvenir l'écho horripilant d'une voix qui répétait : « On se les caille dehors ! »

Mais personne ne vint l'arrêter.

Les « on se les caille dehors » ponctuèrent son sommeil durant les deux nuits suivantes, et il le supporta stoïquement, car il voyait le bout du tunnel.

Il était seul dans une salle d'attente luxueuse et dépouillée d'un appartement haussmannien du XVIe arrondissement. Un gros bouddha doré trônait sur une table basse. Ça allait avec la musique du téléphone.

Au mur, une citation qui devait être intéressante si on comprenait le chinois.

La secrétaire l'avait fait entrer avec une obséquiosité remplie de désarroi. Il lui foutait les jetons. En d'autres circonstances, ça l'aurait fait rire. Mais lui aussi nageait en plein désarroi. Confier son histoire de faux *Pif Gadget* après s'être fait passer pour un meurtrier en puissance, ça n'allait pas être vraiment coton. Il avait de grandes chances de se faire jeter comme un malpropre. Sans compter que le prix de la consultation devait être à la hauteur du décor.

Une porte s'ouvrit sans bruit et le Pr Grof apparut. Abel eut un léger choc : il ressemblait de façon frappante au Dr Zarkof, l'ennemi juré de Flash Gordon. Mêmes cheveux argentés, mêmes moustache et barbichette désuètes.

— Bonjour, monsieur, entrez.

Il avait une belle voix grave dépourvue de toute intonation.

C'est ici que les Athéniens s'atteignirent, se dit Abel en se levant.

Il s'attendait à s'allonger sur le canapé, mais Grof lui désigna un fauteuil, devant le bureau. Le médecin s'assit à son tour et l'observa. Abel prit plusieurs fois son élan pour parler mais se ravisa.

Grof le dévisageait amicalement, les mains croisées sous le menton. Le silence durait depuis un petit moment et Abel allait se décider à parler, lorsque le professeur lui demanda :

— Pourquoi êtes-vous venu ?

— C'est-à-dire... Je... je... bafouilla-t-il. C'est pas facile à expliquer, je suis désolé.

— Je sais. Oublions cette histoire de meurtre sur commande, et dites-moi pourquoi est-ce si urgent.

Devant l'air interloqué d'Abel, Grof poursuivit :

— Les vrais psychopathes ne préviennent pas. Ils passent d'abord à l'acte.

Il y eut encore un petit silence, plus léger.

— Racontez-moi.

Abel déballa tout dans l'ordre, en essayant de ne rien omettre et d'être le plus fidèle possible dans les détails de son récit.

— Et les têtes de bourgeons répètent : « On se les caille dehors. »

Grof parut réfléchir un instant — à vrai dire, il devait *sûrement* réfléchir.

— Cette plante est-elle hostile ? Manifeste-t-elle de l'agressivité à votre égard ?

Abel dut admettre que non, mais que c'était très pénible à vivre. Tout cela sortait peut-être de son imagination, et ça l'angoissait.

— Qu'est-ce que vous me conseillez ?

— Soit vous la jetez, soit vous la rentrez à l'intérieur. Dans les deux cas, vous saurez où vous en êtes. Mais mon rôle n'est pas de vous influencer, c'est vous qui devez choisir. Personnellement, j'ai une collection d'orchidées. Ce sont des organismes vivants extrêmement complexes. Vous savez que les arbres communiquent entre eux ?

Comme Abel restait silencieux, Grof ajouta :

— Je tiens à vous rassurer, vous ne présentez aucun symptôme d'une quelconque pathologie mentale.

— Tant mieux. Mais tout ce qui s'est passé, le *Pif Gadget* et la boutique qui n'existent pas, les rêves, vous ne trouvez pas ça étrange ?

Grof lui répondit qu'il côtoyait l'étrange à longueur de temps, que tout avait une explication rationnelle, même si elle dépassait son entendement, et que, finalement, il avait une chance énorme de pouvoir communiquer avec du végétal.

D'un sens, ça le rassurait. Il était sain d'esprit. D'un autre côté, l'idée de cohabiter avec une plante d'un tel sans-gêne ne l'enchantait pas.

Abel passa le reste de sa journée à compulser sur le Net tous les sites de botanique, apprenant au passage qu'effectivement certaines espèces étaient particulièrement bavardes. Mais personne n'en citait aucune qui vous répétait en boucle : « On se les caille dehors. »

La plante était toujours sur le balcon. De temps à autre, il y jetait un coup d'œil et voyait les petites têtes se tourner vers lui, désespérément. Il sentait qu'elles avaient soif et froid. Dehors le vent s'était levé et soufflait en bourrasques.

Il sortit renouveler ses provisions de pizzas surgelées, de soupes chinoises et de paquets de chips. Puis il tenta de se changer les idées en relisant deux ou trois *Pépito*, le gouverneur Hernandez de la Banane l'avait toujours fait rire, mais le cœur n'y était pas.

Il regarda par la fenêtre. Les tiges s'étaient repliées sur elles-mêmes comme pour se protéger, et ne bougeaient plus.

Il ouvrit la fenêtre et prit le pot.

— C'est bon, vous avez gagné !

Il arrosa délicatement la plante, vit les tiges se redresser et se tendre vers lui.

— Mais arrêtez de faire chier ! Vous me foutez la paix, maintenant !

Il aurait juré que les têtes lui souriaient.

Abel rêvait qu'il était sur la planète Troboll, dans une vallée déserte cernée de montagnes vertigineuses.

Des lézards géants l'attaquaient de toutes parts. Il transperçait sans peine leurs corps, qui avaient une vague consistance caoutchouteuse, à l'aide de Trucidance, sa magnifique épée dorée. Des hommes préhistoriques à longues dents, qui portaient des sortes de couches-culottes, se précipitèrent sur lui, mais là aussi il en vint à bout. Arielle se jeta dans ses bras, ses bras musclés et puissants qui la soulevèrent comme une plume. Ils s'apprêtaient à monter dans la fusée du Pr Freudlich, lorsque les sbires de l'infâme dictateur Fang tombèrent du ciel en parachute. Ils arboraient des jupettes de centurions romains et poussaient des cris lugubres. Ils leur échappèrent de justesse et la fusée en forme de suppositoire décolla.

Arielle lui donna un merveilleux baiser qui l'embrasa tout entier.

Abel allait la poser sur le lit de sa cabine, quand il se sentit observé. En levant les yeux, il aperçut la plante, accrochée au plafond métallique. Elle était sortie de son pot et ses racines formaient des sortes de jambes multiples et maigrelettes.

— Foutez-moi le camp ! glissa-t-il dans sa barbe.

Pas une feuille ne frémit.

Arielle ne s'apercevait de rien et lui tendait ses lèvres, offerte.

— C'est gênant, chuchota-t-il encore.

Être maté par un tas de feuilles alors qu'on va faire l'amour à la femme de ses rêves le perturba un instant, et puis, emporté par le désir, il passa à l'acte. Tout habillé, curieusement, avec son pantalon ridiculement moulant et ses bottes d'équitation. Et ce fut cosmique.

Il entendit comme un bruissement au-dessus de sa tête. Cette saleté de plante prenait son pied. Il voulut se relever et la balancer par le spatio-vide-ordures, lorsque le radio-réveil sonna l'atterrissage dans le réel, sur une pub horripilante pour un supermarché.

La première chose qu'il vit, c'est que la plante avait déserté son pot et s'était installée tranquillement dans un seau en plastique.

Abel ne céda pas à la panique, respira un grand coup et décida de reprendre les cartes en main.

— Plus jamais ça, sinon je te refous dehors !

Les têtes se baissèrent, comme prises en faute. Toutes, sauf une. Le pistil dressé, la corolle ébouriffée, elle semblait le défier. Et là, elle se mit à lui parler d'une voix aigrelette :

— Tu étais plutôt content, cette nuit, tu étais prêt à polliniser. De quoi tu te plains ? Il n'était pas bien, ton rêve ?

Il est évident que la plante ne formulait pas de mots sortant de ses tiges, mais Abel l'entendait clairement. Grof lui avait assuré qu'il n'était pas fou, mais il commençait à avoir de gros doutes sur son diagnostic.

Il prit son courage et le seau en plastique à deux mains, et descendit, sans même prendre le temps de s'habiller, le déposer dans la cour que la gardienne lavait à grande eau.

— Qu'est-ce que vous faites ? Vous allez pas jeter ça, c'est joli.

— Gardez-la, si elle vous plaît.

— Y a pas de lumière dans la loge et je peux rien mettre dans la cour, à part les poubelles.

— Je suis allergique. Le pollen…

Il tourna les talons sans plus d'explications, un poids en moins sur la poitrine.

La journée passa de façon légère, bien que Clémence fît la gueule – se taper et les naissances et les décès, la veille, merci bien, surtout qu'ils n'arrêtaient pas de pondre en ce moment, et avec l'épidémie de grippe les vieux ne passaient même plus l'automne, bref, elle avait eu du travail jusque-là. *Toute seule.*

Mais Abel était de bonne humeur, et il arriva même à se réconcilier avec sa collègue en lui offrant un bouquet de marguerites acheté pendant la pause déjeuner. Le soir, il se paya un chinois à deux pas de chez lui, se bourra de nems et de nouilles sautées et, repu, regagna ses pénates.

Il était enfin chez lui, au calme, il reprenait possession de sa vie. Pour fêter l'événement, il regarda *Le Retour de Godzilla*, version 1955 non sous-titrée, qu'il avait téléchargé frauduleusement sur Internet quelque temps auparavant.

Il s'endormit comme un bébé sur le coup de 23 heures, en piquant du nez sur un *Blek le Rock* qu'il connaissait par cœur.

Il rêva d'Arielle, mais c'était beaucoup moins glamour que la première fois. Il voulait la prendre dans ses bras et elle lui décochait une bonne gifle en le traitant de mufle boutonneux. Il essayait de la rattraper, mais ses jambes avaient la consistance du béton, impossible de les décoller du sol. Il entendait alors la voix aigrelette derrière lui :

— Tu vois, quand on n'est pas là, c'est pas le même topo.

Il tournait la tête avec une infinie lenteur et découvrait la plante qui se dandinait de toutes ses tiges dans le seau en plastique.

— C'est pourtant simple, Abel, on ne veut que ton bien. T'as oublié ce qui était écrit : *Il deviendra ton ami*. Et toi, tu nous colles aux ordures, tout à l'heure on passe au broyeur. Tu sais ce que c'est de passer au broyeur ?

Il sentait des gouttes d'eau tomber sur son visage – c'étaient des larmes, la plante pleurait en le suppliant de la laisser vivre. Ce spectacle l'emplissait d'une profonde tristesse, il essayait de parler mais ne pouvait pas articuler le moindre mot. Alors, réunissant toute son énergie, il se mettait à courir au ralenti et descendait dans la cour récupérer le seau.

Soudain, il était enlevé dans les airs par les hommes-oiseaux du roi Gekos, deux gros costauds aux ailes d'acier. Ils volaient à une vitesse sidérale, dépassant deux de leurs collègues qui, eux, détenaient Arielle. Abel la voyait se débattre désespérément, ce qui n'était pas forcément une bonne idée. S'ils la lâchaient, elle tomberait de plusieurs milliers de kilomètres sur l'un des multiples astéroïdes de la ceinture de Saturne.

Ils atterrissaient finalement dans la Cité des Nuages, royaume du fourbe Gekos, qui les faisait jeter dans un sombre cachot. Arielle se réfugiait dans ses bras et ils échangeaient un baiser passionné au mépris du danger, dans l'obscurité d'un antre lugubre, baiser qui se transformait en étreinte tout habillés, comme d'habitude, la seule lueur provenant d'un seau en plastique où frémissait la plante pendant qu'Abel pollinisait.

Il se réveilla un peu avant la sonnerie du réveil, encore sous le coup du plaisir cosmique qui l'avait submergé dans les bras d'Arielle.

La plante était au pied de son lit et le regardait. Et ce n'était pas la continuité de son rêve, puisque le radio-réveil se déclencha sur les infos, où un expert parlait du réchauffement climatique.

— Eh oui, ça chauffe, dit la plante. Et c'est pas fini.

Abel poussa un gros soupir – un soupir de renoncement. Il lui fallait accepter le fait de vivre en compagnie d'une espèce de brocoli multitêtes qui donnait son avis sur tout.

Comme si elle devinait ses pensées, la plante poursuivit :

— C'est moins contraignant que d'avoir un chien. Tu n'as pas à nous sortir, pas de croquettes à acheter, et ça te fait de la compagnie.

Abel eut un petit rire amer.

— Tu parles d'une compagnie ! Même pas décorative, pas de parfum. Juste casse-couilles.

— C'est injuste ! Tu disais pas ça, cette nuit. C'était le feu d'artifice !

— Hé ho ! Un peu de pudeur !

En se redressant, il aperçut le seau en plastique, vide, dans un coin. Les racines de la plante formaient maintenant de vraies petites pattes, terminées par des sortes de griffes qui crissaient sur le plancher.

Abel se recroquevilla dans son lit.

— T'inquiète pas, on est ton amie, tu sais bien. Et par nature, on est incapable de faire le mal.

— Et les plantes carnivores, les vénéneuses ? les figuiers étrangleurs d'Amazonie ?

— Un, faut bien se nourrir, et deux, faut bien se défendre. Mais tu ne verras jamais une plante attaquer quelqu'un pour lui voler son porte-feuille. Tu n'as rien à craindre. Si tu ne veux pas te retrouver aux urgences, évite de manger des feuilles de lierre en salade, cela dit c'est valable pour beaucoup d'entre nous. On est plus de trois cent mille espèces, je connais pas tout le monde.

Abel resta un instant silencieux.

— C'est quoi, le deal ?

— Le deal ?

— Oui... Enfin, vous voulez quoi ?

— Tu t'occupes de nous quand tu es réveillé, on s'occupe de toi quand tu dors. Ça marche ?

Abel mit un bout de temps avant de répondre que ça marchait mais qu'il ne fallait pas pousser mémé dans les orties.

— C'est une vieille expression, ajouta-t-il. Comme « les carottes sont cuites », « la fin des haricots », « les pissenlits par la racine ».

Les têtes se balancèrent dans tous les sens.

— Qu'est-ce qui se passe ?

— Rien, on rigole.

Abel aussi eut envie de rigoler, mais se retint. On a sa fierté.

Avant de partir au travail, il demanda :

— Tu as un nom, je peux t'appeler comment ?

— Un nom latin à coucher dehors. Appelle-nous Lulu.

Boulot, dodo, Arielle : à partir de ce jour, la vie d'Abel bascula dans une harmonie onirique qui compensait la routine du quotidien. Il passait ses journées l'esprit absent, à attendre les nuits impatiemment. Les aventures palpitantes de Tom la Foudre lui semblaient de plus en plus concrètes, il abandonnait avec bonheur son corps étriqué pour endosser celui du super-héros.

Clémence avait remarqué ce changement, ce regard flou, ces phrases qu'il ne finissait pas, la hâte qu'il mettait à quitter son poste à 17 h 30 tapantes. Elle ne put s'empêcher de lui demander si quelque chose n'allait pas. Il éclata d'un rire qu'elle trouva stupide, et même déplacé.

Comme elle insistait, il lui répondit par une autre question :

— As-tu déjà été totalement et profondément heureuse ?

Elle chercha un temps une réponse – d'ailleurs, elle ne la trouva pas.

— Parce que moi, je le suis.

— Et c'est quoi, ta recette miracle ?

— Je me soigne par les plantes.

— Tu veux dire quoi, tu fumes de la drogue ?

— Pas du tout, mais alors là, pas du tout... Enfin, pas du tout... Par exemple, toi, qu'est-ce qui te rendrait le plus heureuse ?

C'était sans doute la première fois qu'on lui posait une telle question. Au silence qui suivit, Abel devina qu'il avait touché un point sensible.

— La mode, j'aimerais travailler dans la mode, finit par lâcher Clémence. La haute couture, les belles matières, le luxe...

Elle allait continuer lorsqu'un vieil homme aux yeux rougis par les larmes s'approcha de son guichet.

— Déclaration de décès, monsieur ?

Le vieux hocha la tête.

— Alors il me faut une pièce d'identité, le certificat de décès établi par le médecin et une pièce d'identité de la personne décédée, s'il vous plaît.

Le vieil homme balbutia qu'il avait oublié sa carte.

— Revenez demain, les horaires sont affichés à l'entrée.

Effectivement, compatit Abel, la haute couture était un domaine plus attrayant.

Une fois le vieux parti, Clémence lui demanda ce que c'était, son histoire de plante. Les yeux sur la pendule, car il était presque la demie, Abel trouva vite fait une explication plausible, comme quoi certaines plantes d'intérieur agissaient sur le moral d'une façon très bénéfique.

— J'ai un yucca. C'est bon, le yucca ?

— C'est pas mauvais, mais il y a mieux. Excuse-moi, je dois y aller.

— Deux minutes, il est à peine trente.

— Demain, je dois y aller.

Il trouva Lulu installée sur le rebord de l'évier, ses racines baignant dans la bassine remplie de vaisselle de la veille.

Il s'était mis à apprécier leurs échanges quand il rentrait du travail. Une relation qu'il n'avait finalement établie avec personne. Même avec son seul ami, celui qui avait déménagé : c'était un tintinophile acharné, leurs discussions étaient plutôt limitées.

— Alors, ça a été aujourd'hui ?

— Six naissances, neuf décès. Clémence déprime. Et je lui ai parlé de toi. Enfin, sans entrer dans les détails. Je ne sais pas si j'aurais dû.

— Au contraire. Ce serait même intéressant de rencontrer de nouvelles têtes.

— Je suis sûr que ça lui ferait du bien.

— Fais une bouture !

— Pardon ?

— Une bouture, tu me coupes une tige sur quinze centimètres, tu la rempotes, tu arroses. Et t'attends que ça pousse.

— Ça fait pas mal ?

— Mais non, c'est comme si tu te coupais les cheveux, ballot. C'est bête que ce soit pas encore l'époque où on éternue.

— Tu éternues ?

— C'est une image. On projette nos graines un peu partout. Je te préviendrai. En attendant, t'as pas un sécateur ?

— Non.

— Alors, prends des ciseaux et coupe.

La semaine suivante, Abel offrit à Clémence une pousse d'une taille honorable où pointait déjà un semblant de bourgeon. Elle le remercia sans grande conviction, notant au passage que ça ressemblait vaguement aux noyaux d'avocats qu'elle faisait pousser quand elle était gamine.

Les jours qui suivirent, Abel ne remarqua aucun changement dans le comportement de sa collègue. Bien qu'il ne lui posât aucune question, il brûlait de savoir comment ça se passait pour elle. Au point que les journées au bureau ne lui paraissaient plus aussi barbantes.

Il devait admettre aussi que ses épopées nocturnes devenaient un peu moins excitantes. Riches en rebondissements, certes, mais il s'habituait progressivement à être le héros d'un monde chimérique où tout pouvait arriver et dont il sortait toujours vainqueur.

Lulu ayant la faculté, entre autres, de pressentir ses états d'âme, elle lui demanda tout naturellement ce qui le préoccupait. Tout allait bien, au contraire, prétendit-il, il était juste curieux de savoir comment Clémence réagissait à son rejeton.

— Très bien, très bon, elle est beaucoup plus ouverte que toi au début, répondit Lulu.

— Comment le sais-tu ?

— On fonctionne en réseau. L'information circule entre nous, Abel, comme sur le Net. Tu piges ?

Bien sûr, il pigeait, et il n'était plus à une surprise près. Mais il voulait des détails.

— C'est délicat. C'est quand même confidentiel.

— C'est moi qui te l'ai présentée, c'est normal que je veuille être au courant.

Lulu se fit un peu prier, pour la forme.

— D'accord, cette nuit, tu verras par toi-même.

— Et Tom ?

— Tom sera toujours là, mais il y aura Floruccia Versi.

— Floruccia Versi ?

Le Carrousel du Louvre était plein à craquer.

Une foule de modeux et de fashion victimes se disputaient les sièges, le bruit des conversations résonnait sous la voûte, des photographes mitraillaient les VIP à tout-va. Abel était assis au premier rang et son costume de super-héros ne semblait étonner personne. Il reconnaissait en vrac Brad Pitt, Angelina Jolie, Madonna, les Rolling Stones au complet, le dernier James Bond... Le tout-Hollywood débarquait en grappes. Il y avait même le président de la République, attaqué de toutes parts par des micros du monde entier.

Une musique wagnérienne éclatait et voilà que, dans l'obscurité et le silence, des lettres géantes en 3D palpitaient au-dessus des têtes : « Floruccia Versi. Floruccia Versi. »

Un tonnerre d'applaudissements faisait vibrer l'assemblée.

Puis un méga projecteur dessinait un rond éblouissant sur le tapis rouge... et Floruccia apparaissait.

Abel avait du mal à reconnaître Clémence sous le maquillage pailleté, les cheveux décolorés à blanc auréolant son visage, la bouche surdimensionnée ouverte sur un sourire étincelant. Floruccia Versi ! Elle portait une robe fourreau en lamé argent fendue jusqu'au nombril, qui dévoilait une poitrine format XXL.

Elle envoyait un baiser à l'assistance qui hurlait sa joie et tendait le bras vers le rideau rouge qui masquait l'entrée des coulisses. Il s'ouvrait sur le premier mannequin, tenue de ville vert pomme, jupe rehaussée de diamants, et ce mannequin était Floruccia Versi. Ainsi que tous les modèles défilant ensuite, salués chaque fois par une ovation frisant l'hystérie. Le paroxysme était atteint lorsque la mariée faisait son entrée dans une robe à panier recouverte de colombes vivantes, qui s'envolaient à l'unisson sur les premières mesures de la « Marche nuptiale ». Même le président tapait des pieds en essuyant quelques larmes de bonheur. Le bonheur selon Clémence Le Pitois, alias Floruccia Versi.

La foule déchaînée se ruait vers le backstage, Abel tentait de résister, mais il était emporté par le flot humain et se retrouvait collé à un des gros malabars de la sécurité qui formaient cercle autour de la diva. Il réussissait à se glisser entre ses jambes et jaillissait devant elle, comme un diable hors de sa boîte.

— Clémence !

Elle lui lançait un regard furieux et faisait un signe. Un des gorilles l'empoignait et le projetait au-dessus de la foule. Abel tombait, tombait, et se réveilla au pied de son lit.

— Alors ?

Lulu était penchée au-dessus de lui, frémissant de toutes ses feuilles.

— C'est du lourd, répondit Abel.

À partir de ce moment, Abel regarda sa collègue d'un autre œil.

Un peu jaloux du fait qu'elle avait créé son propre personnage, alors que lui se contentait d'un simple copié-collé d'une série américaine d'après-guerre et ne devait essentiellement son charme qu'à ce côté démodé.

Admiratif, aussi. Bien qu'il ne l'ait vu que brièvement, il saluait le travail de création de Clémence. On devinait les emprunts aux multiples magazines de mode qu'elle collectionnait, mais il reconnaissait que c'était du bon boulot.

Même le nom : Floruccia Versi. Ça sonnait comme un cri de victoire.

Du coup, son propre avatar nocturne lui paraissait fade, à la limite du grotesque. Bien sûr, il recevait lui aussi son lot d'ovations, quand il était porté en triomphe par les hommes ventouses d'Aldébaran ou par les femmes lance-pierres de Sirius 3. Mais c'était quand même moins classe. La banlieue d'Andromède était un trou paumé, comparé au Carrousel du Louvre.

Lulu perçut très vite son désarroi et tenta de le rassurer. S'il était fatigué de ses rêves, rien ne l'empêchait d'en changer, à condition de s'appuyer sur une bonne documentation.

Abel promit d'y réfléchir, même si ses héros préférés avaient tous un côté has-been indéniable.

— Et Arielle ? Plus de goût pour la belle Arielle ?

— Aucune conversation, laisse tomber... Tu sais quoi ? Je vais prendre des vacances.

— Des vacances ?

— Plus de rêves, ou alors des trucs très cons dont je ne me souviendrai pas au réveil.

— Ça va être difficile. Comment on va se nourrir, nous ? C'est pas avec deux arrosages par jour qu'on va survivre... On a besoin de toi, Abel.

— Et Clémence ?

— Ce n'est pas suffisant. Dis-toi bien que si Floruccia existe, c'est parce qu'on est en pleine forme grâce à toi.

Cette nouvelle enfonça Abel un peu plus dans son désarroi. Il n'allait pas vadrouiller éternellement en collant moule-couilles dans la galaxie. Et il l'exprima.

— Trouve-toi autre chose... suggéra Lulu. Blek le Rock ? Non ? Et le petit rigolo, là, Pépito ?

Abel lui lança un regard noir. Il prenait conscience qu'il s'était rendu prisonnier d'une passion infantile qui lui bouffait la vie.

— T'es injuste, Abel. Tu t'es régalé pendant toutes ces années... et puis tu as une sacrée collection... Je suis sûre que tu vas trouver.

Abel ne répondit pas.

— C'est à cause de Floruccia, hein ? Elle t'en a mis plein la vue.

Abel protesta, sans grande conviction.

— Tu sais quoi ? Retournes-y cette nuit.

— C'est ça ! Avec mon costume grotesque ?!

— C'est toi, le chef, c'est ton rêve. Tu t'habilles comme tu veux.

— Tom la Foudre en complet-veston, c'est une aberration.

— Je te le répète, c'est toi, le chef.

L'atelier de couture était en pleine efferves-cence. C'était un mélange entre la galerie des Glaces, par la taille et le nombre de miroirs, et une usine de confection asiatique, vu la myriade de petites mains qui s'activaient, silencieuses et rapides comme des fourmis. Au bout de ce qui lui parut une éternité, Abel finit par découvrir Floruccia, installée dans une somptueuse loggia qui dominait le panorama.

Aidée par une douzaine d'assistantes, elle menait plusieurs conversations téléphoniques à la fois. En tailleur fuchsia parsemé d'émeraudes, elle était la seule à porter des couleurs, tranchant sur l'uniforme beige des employées. Elle parlait haut et fort en plusieurs langues, dont le chinois et l'hindoustani.

Abel monta lentement la volée de marches recouvertes d'une épaisse moquette rouge qui menait à la loggia et respira un grand coup, en se répétant intérieurement : *C'est moi, le chef*. Tous les regards se tournèrent vers lui. Floruccia s'arrêta de parler en découvrant ce bel homme barbu vêtu comme Indiana Jones, le fouet en moins.

Abel se félicita de ne pas avoir totalement trahi son avatar. Disons qu'il l'avait modernisé.

— Qui êtes-vous ?

La voix résonnait sous les voûtes du plafond.

— Tom, mon nom est Tom. Je suis journaliste.

— Encore ! Que me voulez-vous ? Je sors un livre sur mon travail. Je vous en ferai parvenir un exemplaire.

Il aperçut la plante posée sur le bureau. Elle avait déjà une demi-douzaine de tiges vigoureuses.

— Vous voir. Vous approcher. Vous êtes fascinante…

Il n'avait même pas envie de rire en disant cela.

— Cliché ! cliché ! cliché !

— Un merveilleux cliché.

Il continuait à se répéter : *C'est moi le chef. Sans moi, pas de Floruccia, ma poule.*

— J'ai envie de vous faire l'amour, Floruccia, là, sur le bureau !

Les sourcils remontés à la racine du front, elle parvint à articuler, d'une voix tremblante d'indignation :

— Mais qui vous permet ?

Mon rêve, connasse, c'est mon rêve, j'ai le droit !

Il évita de formuler ces paroles – il y allait un peu fort.

Mais les miroirs lui renvoyaient l'image d'un aventurier pour parfum de luxe, ce barbu viril et sûr de lui qui, quelque part, sommeillait au fond de lui.

Alors Floruccia poussa un soupir profond et lui tendit les bras.

Tout le monde se remit au travail, les couturières coupaient, cousaient, faufilaient, les assistantes s'agitaient au téléphone, sans prêter la moindre attention à ce qui se passait sur le bureau. La plante frémissait de tous ses bourgeons et, naturellement, Abel pollinisait tout habillé.

— Pas mal, ton nouveau look, dit Lulu, alors qu'il sortait juste du sommeil.

Abel maugréa un « ouais » entre ses dents. Il était encore étonné de la clarté de son rêve, tout paraissait tellement authentique, il pouvait se le passer comme un film sans omettre un seul détail.

— C'est normal, dit Lulu, tu as affaire à une personne réelle, c'est pas Bingo Machinchouette de la planète Trucmuche.

— S'il te plaît, t'es gentille, je suis à peine réveillé, alors tu évites de lire dans mes pensées. C'est grossier.

— *Scusi signor...* Alors, elle est bonne, Floruccia ?

— Arrête ! Fais gaffe, Lulu, je peux te remettre sur le balcon.

— OK. T'énerve pas. On peut blaguer quand même.

Clémence avait changé de coiffure, pas grand-chose, certes, mais son châtain fadasse avait pris des reflets dorés, et Abel remarqua qu'elle avait les yeux maquillés. Elle semblait habitée par une lumière intérieure qui la rendait presque attrayante.

Ça le déprima. Les femmes possédaient un sens pratique qu'elles mettaient à profit à la moindre occasion. Floruccia Versi avait légère-ment déteint sur Clémence Le Pitois, alors qu'il était toujours le même trentenaire un peu lour-daud, à qui une alimentation déplorable valait une naissance de bedon.

Apparemment, Clémence avait oublié son rêve, ou alors elle n'avait pas reconnu Abel, ce qui était plus plausible.

Il lui demanda négligemment comment allait sa plante.

— Très bien, ça pousse... ça pousse.

— Et... ça marche ?

— Comment ça ?

— Tu te sens mieux ?

— Quelle question, je ne me suis jamais sentie mal.

Mais quelle dissimulatrice ! Il en était sur le cul. Elle finassait ? D'accord, il allait la mettre au pied du mur.

— C'est marrant, j'ai rêvé de toi, cette nuit.

— Ah bon ?

Il sentit de la méfiance dans la question.

— Un truc totalement bizarre, sans queue ni tête… C'était un endroit immense, je me rappelle plus vraiment, il y avait beaucoup de monde et…

Il laissa sa phrase en suspens.

— Et ?

— Et… et nous faisions l'amour sur ton bureau.

Clémence parut manquer d'air, ses narines se pincèrent, et Abel crut un instant qu'il allait se prendre une baffe, mais un père exalté arriva pour déclarer une naissance.

Sauvé par le gong, pensa Abel.

Clémence ne lui adressa pas un mot de la journée et évita constamment son regard.

— Je veux retourner chez Floruccia cette nuit.

— Impossible.

— Comment ça, impossible ?

— Et Tom ? C'est de lui qu'on se nourrit. Sans Tom, on s'étiole et, si la maison mère dépérit, les succursales ferment. *Finito Floruccia. Capito ?*

— Mais il est là, ce grand con de Tom ! Il est là !

— Ne finasse pas Abel, ce dont nous avons besoin, c'est de ton imaginaire, pas de celui d'une midinette surexcitée.

— Elle n'a rien d'une surexcitée et elle, au moins, c'est une création originale, pas du fac-similé.

— Détrompe-toi, Abel, même si tu es parti d'un modèle, tout ce qui t'arrive est totalement inédit. Ton seul problème, c'est que tu veux te taper Clémence !

— Quoi ? Je rêve, ou quoi ?

— Exact, tu rêves de te taper Clémence, via Floruccia.

Assommé par l'évidence, Abel ne trouva aucune réponse de mauvaise foi pour le sauver. Il bredouilla seulement qu'il avait déjà vaguement fricoté avec elle, et que c'était pas terrible.

— Normal, tu rêvais de t'envoyer Arielle Starlight. Clémence n'avait pas sa place dans le tableau.

Lulu le laissa mijoter dans ses pensées et retourna sur la pointe des racines s'installer dans le seau en plastique.

Après un temps de réflexion, Abel décida de se faire du café. Un litre de café. Il versa un paquet entier d'arabica dans la cafetière, rageusement.

— Tu sais quoi ? Je vais pas dormir ! Mes rêves, tu te les mettras au cul, voilà !

Lulu n'avait pas prévu autant de résistance, sans doute parce qu'elle fréquentait les humains depuis peu et que les cheminements tordus de leurs pensées, leurs incohérences, leur manque de logique étaient inconcevables dans le monde végétal.

— OK. Calme-toi. Voilà ce que je te propose.

Abel lui jeta un coup d'œil méfiant et alluma la cafetière.

— Tu fais un petit coup de Tom la Foudre sur Troboll et tout le tremblement, et après tu rejoins Floruccia. Ça marche ?

— Pas de coup fourré ? pas d'entourloupe ?

— Parole. Et on n'en a qu'une, nous... Tu peux éteindre ta cafetière ?

Cette nuit-là, Abel vint à bout des hordes d'Hommes cerceaux d'Alpha du Centaure, évita à la Terre une désintégration imminente due à la malveillance d'une bande d'illuminés de la Constellation du Cygne et, finalement, retrouva Floruccia.

Elle était en pleine séance photo dans la nuit égyptienne, au pied du Sphinx éclairé pour l'occasion par des milliers de candélabres.

D'énormes haut-parleurs déversaient de la musique techno et ses cheveux platine flottaient en auréole autour de sa tête grâce à de méga ventilateurs. Elle arborait une combinaison ultra-moulante d'un bleu électrique, au sens propre, puisque des dizaines d'éclairs parcouraient le tissu. L'effet était saisissant.

Abel se demanda comment l'approcher, vu le nombre de personnes qui l'entouraient.

C'est alors qu'il se rendit compte qu'une chose épouvantable s'était produite, sans qu'il s'en aperçoive : il était en pyjama… son pyjama informe et confortable qui lui donnait un air extrêmement crétin. Saleté de plante. Qu'une parole ?! Saleté de plante ! Il n'allait pas se laisser faire.

Immobile sous les flashs des dix plus grands photographes de la planète, Floruccia brandissait fièrement la raison même de cet événement : un flacon de parfum. Son parfum. « V » de Versi. Il avait été conçu par Lalique et représentait la célèbre initiale, symbolisée par des ailes déployées en cristal de Baccarat, remplies d'un liquide doré dans lequel flottaient de minuscules étoiles.

Elle regardait droit devant elle, pleine d'une allégresse quasi céleste, lorsqu'elle vit apparaître, se faufilant à travers la forêt des projecteurs, un homme en pyjama.

Ses gardes du corps allaient se jeter sur lui, lorsqu'elle les arrêta d'un geste. Cet homme lui semblait familier. Il avait l'air déterminé, sûr de lui, et ce pyjama lui rappelait vaguement quelque chose.

L'homme s'approcha et dit ces mots, d'une voix si puissante qu'elle couvrit les vagues techno qui faisaient trembler l'atmosphère :

— Tu ne peux pas rêver moins fort ? C'est insupportable, ce boucan !

La sidération de Floruccia fut telle qu'un silence de plomb tomba sur la scène.

Autour d'elle, tout le monde semblait paralysé.

L'homme lui prit la main fermement et elle fut incapable de le repousser. Il se mit à parler d'une voix plus douce :

— Je connais un coin beaucoup plus tranquille. Une petite planète aquatique avec quelques beaux atolls. Viens. Viens, Clémence !

Elle tenta de résister et lâcha le flacon, qui se brisa en milliers de fragments. Floruccia poussa un cri terrible et disparut, comme aspirée par une force invisible qui désintégra tout, même le Sphinx. Les pyramides y passèrent aussi et l'air commença à manquer.

Abel se mit à suffoquer et se réveilla en sursaut, haletant.

— Tu es fier de toi ?

Comme il reprenait son souffle, Lulu conti-
nua, sur le même ton sans réplique :

— Tu as brisé son rêve ! De quel droit ? Tu
te crois tout permis ?

Abel marmonna un :

— Oh ça va, c'est pas la mort.

— Si on avait des mains, on te collerait des
baffes ! Lui gâcher son plaisir ! Qu'est-ce qu'elle
t'a fait, cette pauvre fille ?

— OK, c'est bon. T'avais qu'à pas me foutre
en pyjama !

— Mais tu t'y es mis tout seul, andouille !
C'est toi qui diriges, pas nous ! Combien de fois
il faut te le répéter ?! Sans compter que Lili est
furax !

— Lili ?

— Sa plante. Elle est en pleine croissance,
c'est un coup à l'anémier !

— Ça, je m'en fous !

— On sait, tu te fous de tout. T'es
pathétique !

Abel bondit hors du lit et prit une paire de
ciseaux dans un tiroir :

— Si tu la fermes pas, je te découpe en
lamelles et je jette tes racines dans les chiottes,
OK ?

Il se rendit à son travail avec des pieds
de plomb. Lulu avait réussi à le culpabiliser

suffisamment pour transformer sa journée en une épreuve qui lui semblait insurmontable.

À sa grande surprise, Clémence n'était pas là. Alors qu'elle était pratiquement toujours en avance. Ce qui accentua encore son sentiment de culpabilité. Elle débarqua une bonne demi-heure plus tard, alors qu'Abel s'occupait d'un citoyen en deuil. Sans un mot, elle s'installa à sa place. Abel n'osa même pas la regarder.

Par un heureux hasard, il y eut plus de naissances que de départs à déclarer, ce qui évita au jeune homme un tête-à-tête qu'il redoutait depuis le matin.

Et puis arriva le moment où ils se retrouvèrent seuls. Abel s'abîma dans l'examen d'un gros dossier, Clémence toujours silencieuse à ses côtés, mais ne put s'empêcher de lui glisser un regard en coin. Et ce qu'il vit le bouleversa.

Clémence pleurait, sans bruit, les larmes coulant sur ses joues et tombant sur les registres sans qu'elle cherche à les essuyer.

— Je suis désolé, balbutia-t-il, désolé pour hier.

— Pas ta faute, murmura-t-elle en reniflant.

— Mais si, j'aurais pas dû... C'était grossier.

Clémence se tourna vers lui, en sanglotant de plus belle.

— J'en peux plus ! J'en peux plus !

Et elle se jeta dans ses bras, tachant de larmes sa chemise propre. Par chance, elle ne s'était pas maquillée.

Il resta tout bête, les bras ballants, sans oser l'étreindre.

— J'en peux plus de ces rêves ! Cette bonne femme tellement vulgaire ! Si tu savais, Abel. Une pétasse ! Toutes les nuits ! Toutes les nuits ! Et je me souviens de tout ! Je sais plus quoi faire…

Il s'était attendu à tout, sauf à ça. Clémence détestait Floruccia !

— Calme-toi, Clémence. De toute façon, c'est ma faute.

— Ta faute ? Comment ça ta faute ?

— À cause de la plante.

Elle s'arrêta de pleurer, renifla un grand coup et entreprit de chercher un mouchoir dans son sac.

— Quelle plante ?

— Celle que je t'ai offerte.

— Ce truc moche qui pousse comme du chiendent ? Qu'est-ce que tu racontes ?

— C'est un peu compliqué. On déjeune ensemble, je t'explique tout.

— C'est une histoire de fou ! Abel ! Comment veux-tu que je croie ça ?

216

— Je peux te décrire deux de tes rêves dans le détail, puisque j'y étais ! Ton tailleur rose avec les émeraudes, la séance photo au pied des pyramides ! Bien sûr que ça a l'air dingue, j'ai même vu un psy, je croyais avoir des hallus !

Ils s'arrêtèrent de parler à l'arrivée du serveur et commandèrent des pizzas.

Clémence, après un temps, aborda un sujet plus délicat.

— Alors tu m'as… Enfin, nous avons…

— Rassure-toi, c'est un rêve, et nous sommes restés tout habillés.

Au silence qui suivit, Abel comprit que Clémence se repassait la scène, il lui sembla même qu'elle rougissait.

— Je te le répète, c'est de l'ordre du rêve.

— Du cauchemar, plutôt.

Ne sachant pas trop comment prendre la remarque, Abel enchaîna :

— Il y a un truc que je comprends pas, même deux trucs. Un, ta plante ne te parle pas, et deux, ta Floruccia, tu ne l'as pas choisie. Tu la subis. Moi, par exemple, quand je suis Tom, je m'éclate. Enfin, surtout au début.

Clémence haussa les épaules en un geste d'impuissance.

— Tu n'as jamais eu un modèle, quelqu'un à qui tu aurais aimé ressembler ? Même quand tu étais môme ?

— Si, comme tout le monde.

— C'était qui ?

— Audrey Hepburn.

Effectivement, ce n'était pas tout à fait le profil de Floruccia Versi.

— Y a un truc qui a déconné. Je vais en parler à Lulu.

— À qui ?

— Lulu, ma plante. Au fait, la tienne s'appelle Lili.

Clémence lui lança un drôle de regard. Il comprit que, malgré tout ce qu'il venait de lui dire, elle le prenait pour un dément.

— Espèce de grosse salope !

Il tenait le seau à bout de bras et le secouait violemment, ballottant Lulu dans tous les sens. Elle finit par tomber et rampa de toute la vitesse de ses racines jusque sous le lit.

— Tu n'as qu'une parole ? Parole de merde verte, oui !

Abel, à quatre pattes, essaya de l'attraper mais elle s'était repliée tout au fond.

— T'énerve pas, Abel, t'énerve pas, supplia-t-elle d'une toute petite voix tremblante.

— Qu'est-ce qu'elle a foutu, ta copine, avec Clémence ?

Lulu marmonna quelque chose d'incompréhensible dans ses feuilles.

— Quoi ? Quoi ? Je vais chercher le balai !

— Non... s'il te plaît... Je disais... problème de communication... réseau insuffisant ou quelque chose.

— Tu te fous de moi ? Une fois de plus ?

— Lili a fait une erreur. C'est regrettable... Nous nous excusons sincèrement.

— Des excuses ? Tu crois que ça suffit ?

Abel se releva, poussa un grognement rageur et vida la moitié d'une bouteille d'eau pour se calmer.

— Nous aussi on a soif, dit Lulu d'une voix plaintive.

— Rien à foutre... Tu boiras si tu as une solution... sinon, crève ! répondit-il en s'asseyant lourdement sur le lit.

Il y eut comme un mini gémissement.

— On a une explication... On peut sortir ?

— T'as intérêt à en avoir une bonne.

Quelques têtes émergèrent timidement à l'autre bout du lit.

— C'est à cause des magazines.

— Des magazines ? Qu'est-ce que ça vient faire là-dedans ?

— Elle a posé le pot à côté des magazines. Des revues de mode avec des tas d'articles sur une créatrice italienne. Alors Lili s'en est inspirée, elle n'avait aucune doc. Je ne me souviens pas de son nom.

— En tout cas, c'était pas Audrey Hepburn.

— Qui ?

— C'est déprimant...

Abel s'était allongé sur le lit, épuisé par son accès de colère.

Lulu remonta prudemment dans son seau.

— Elle me prend pour un dingue, maintenant...

— Ça peut s'arranger...

— Fous-moi la paix, Lulu. Et je te préviens, pas de rêves, compris ? Pas de rêves !

— Compris.

Il dormit comme une masse, n'entendit même pas la radio se mettre en marche et, à son tour, arriva en retard à la mairie.

Clémence lui parut aller un peu mieux. Elle lui fit même un semblant de sourire quand il entra, mais ils n'échangèrent aucune autre parole que *Bonjour bonjour, excuse-moi du retard, c'est pas grave*. Abel n'osait pas la questionner et, visiblement, Clémence n'avait pas envie de parler. L'atmosphère était un peu tendue, mais sans réelle hostilité.

En fin de matinée, Clémence finit par lui demander l'adresse de son psy. Elle ajouta, en guise d'explication :

— Elle m'a parlé. La plante. Elle m'a parlé.

— Qu'est-ce qu'elle t'a dit ?

— Elle s'est excusée. Moi aussi, je deviens dingue, Abel.

— Mais pas du tout. Pas plus que moi. Même le psy te le dira. Si tu arrives à avoir un rendez-vous.

Et il lui raconta le bobard qu'il avait dû monter pour en obtenir un. Cela la fit même rire. L'air devint aussitôt plus léger.

Clémence lui confia qu'elle avait dormi comme une bûche, qu'elle avait voulu jeter Lili, mais qu'elle avait dû faire face à une telle manifestation de détresse que, finalement, elle y avait renoncé.

À la fin du déjeuner, qu'ils partagèrent dans la même pizzeria que la veille, à la même place, comme s'ils avaient déjà leurs habitudes, Abel eut une idée. Qu'il mit à exécution sur-le-champ.

— Bonjour, cabinet du Pr Grof.

— J'ai besoin de le voir en urgence.

— Vous avez rendez-vous ?

— Non, il me connaît. Vous aussi. Le serial killer… vous vous rappelez ?

Un blanc au téléphone. Puis :

— Désolée, monsieur Schmidt, ça ne marche plus.

— Je vous demande une seule chose, dites au professeur que ma plante veut lui parler. Juste ça. Il comprendra.

La secrétaire raccrocha.

— Ça n'a pas vraiment marché, ton idée.

— Mais si. Elle va en parler à son patron, pour une fois qu'elle a un truc intéressant à raconter, et il va me rappeler.

Clémence eut une petite moue pas convaincue. Une petite moue qui la rendait toute mignonne. Ce qu'il lui fit remarquer. Elle eut un petit rire et haussa les épaules.

Ils en étaient aux cafés quand le portable d'Abel sonna.

Abel et Clémence n'eurent pas longtemps à attendre. La porte s'ouvrit sur Grof, qui leur fit un large sourire. Il désigna le sac de supermarché qui contenait Lulu et Lili. Leurs têtes dépassaient du sac, immobiles, un peu penchées.

— Donc, les voilà. Elles m'ont l'air fatiguées, dites donc.

D'autorité, il attrapa le sac et, comme les deux jeunes gens lui emboîtaient le pas, leur demanda de patienter. Il souhaitait faire connaissance avec « ces petites bavardes » sans climat émotionnel parasite.

— T'es sûr que c'est la bonne personne ? chuchota Clémence.

— C'est un ponte. Le cas l'intéresse. Sinon, il ne nous aurait pas reçus un samedi.

— C'est quand même une histoire de fou.

— Je suis d'accord. Tu crois qu'il les a installées sur le divan ?

Ils rigolèrent tout bas en imaginant la scène.

— Tu as rêvé, ces derniers temps ?

— Une fois, obligé, sinon Lulu aurait été trop faiblarde.

— Tom la Foudre ! J'aurais voulu te voir.

Elle se remit à rire.

— Te moque pas, Clémence. Moi, je t'ai vue ! Enfin, Floruccia.

— Ne parle pas de ça, s'il te plaît. C'est flippant.

Son visage était devenu grave. Abel lui prit la main. Ce geste de réconfort tout naturel eut pour conséquences :

1. Que Clémence ferma les yeux.

2. Qu'elle répondit à l'étreinte de cette main.

3. Qu'Abel sentit une agréable chaleur l'envahir.

4. Que cette chaleur se communiqua à Clémence.

5. Que cela créa en eux une irrépressible envie de contact plus rapproché.

Le Pr Grof en découvrit le résultat en sortant de son cabinet, surpris de voir deux patients se rouler une pelle d'anthologie dans sa salle d'attente.

Il dut tousser pour attirer leur attention. Clémence et Abel se séparèrent aussitôt, comme deux collégiens pris en faute.

Lulu et Lili étaient effectivement posées sur le divan, et leurs têtes s'agitaient dans tous les sens. Grof fit un discours enthousiaste sur l'incroyable nature de ces végétaux, qui possédaient une intelligence largement au-dessus de la moyenne des humains.

Abel l'écouta poliment, alors qu'il voyait Lulu lui faire un bras, ou plutôt une tige d'honneur, dans le dos du professeur.

— Elles vous ont dit ce qu'elles voulaient ?

— Ce que toute créature veut sur cette terre : vivre et se perpétuer. Mais ce ne sont en aucun cas des extraterrestres.

Grof se pencha sur son bureau et ajouta, d'un ton prophétique :

— Ce sont des infraterrestres !

Clémence donna la preuve de son esprit pratique en proposant au professeur de les garder, ne serait-ce qu'en observation. Cette offre parut enchanter le praticien.

Abel comprit parfaitement les signes de dénégation que faisait Lulu et les ignora. Grof les remercia chaudement et promit de leur donner des nouvelles.

Ils allaient sortir du cabinet, lorsqu'il les rattrapa et prit Abel à part :

— Elle veut vous parler.

— De quoi ?

— J'ai l'impression que c'est un début de syndrome d'abandon. Je vais y travailler, mais si vous pouviez aller lui dire quelques mots...

— Tu peux pas nous faire ça, Abel !

— Et pourquoi ? Vous serez très bien. En plus, il est à votre niveau d'intelligence, pas vrai ?

— On s'emmerde déjà...

— Ne croyez pas ça. Avec tous les frappés qu'il reçoit, vous n'aurez pas le temps de vous ennuyer. Au fait, c'est qui, son avatar ? Freud ? Jung ?

— La petite sirène.

Abel éclata de rire. Il riait encore lorsqu'il rejoignit Clémence.

— Alors ? demanda Grof. Ça s'est bien passé ?

— Tout baigne, répondit Abel en retenant le fou rire qui lui chatouillait l'estomac.

Abel vendit un très bon prix sa collection de BD sur eBay et ne garda que le faux *Pif Gadget* qui avait fait son bonheur. Il racheta à crédit la vieille librairie fantôme et y installa son atelier vert « dialogue avec les plantes ».

Clémence s'inscrivit à un cours de couture, se révéla plutôt douée et créa un site sur lequel elle proposait ses créations.

Ils eurent des jumelles, qu'ils prénommèrent Lydia et Ludivine.

Ils ne retournèrent qu'une seule fois à la mairie. Pour s'y marier.

LE MUSÉE DE L'HOMME

— J'avais jamais vu ça, dit Violette, une chose, mais alors... monstrueuse, violacée, ça ressemblait à un Alien invertébré dans un film SF gore.

— Gros comment ? demanda Lilas.

— Gros comme... comme... tiens !

Elle montra la bouteille de Perrier, modèle familial.

— C'est pas vrai ! dit Rose en éclatant de rire.

— Je ne plaisante pas. Par politesse, j'ai fait semblant de rien, j'ai même tenté de lui faire une pipe, j'étais au bord de l'asphyxie.

— On dirait pas à le voir comme ça, il est plutôt malingre, ajouta Violette en reprenant une part de clafoutis.

— Ne jamais se fier aux apparences, déclara Marguerite de sa belle voix grave de tragédienne.

Rose examina la bouteille de Perrier, songeuse.

— J'ai connu un type, je vous parle de ça, il y a une trentaine d'années, à l'époque on tirait un coup juste pour faire les présentations, pareil, l'air de rien, à un détail près : il avait un pif, tu le voyais pratiquement toujours de profil tellement il était grand, son nez.

— Ça veut rien dire, je suis sorti avec un garçon avec un trèès trèès grand nez, eh ben, il en avait une toute petite.

— Lilas, laisse finir Marguerite, s'il te plaît…

Lilas, vexée, jeta un œil noir à Violette et fit semblant de feuilleter un magazine féminin.

Elle retira son casque, gela l'image et zooma sur le magazine, qui annonçait en couverture comment initier son partenaire au cunnilingus. Elle regretta de ne pas pouvoir lire cet article, mais nota la date de parution, au cas où elle le retrouverait dans les archives du musée.

Elle remit son casque, réintégra le programme et laissa sur pause un petit moment, le temps d'apprécier l'atmosphère de ce salon soigneusement décoré, trop peut-être, de souvenirs que l'hôtesse des lieux avait collectés tout au long de sa vie, les automates dans les vitrines, les sulfures sur les consoles, la série de portraits de chiens alignés sur les murs aux couleurs pastel, et la vue sur le parc, d'où montaient des chants d'oiseaux et des rires d'enfants. Elle soupira et revint à la conversation que tenaient les quatre amies.

— Alors ?

— Je ne prétends pas que la taille du nez est en rapport avec celle de la queue, mais, dans ce cas précis, ça allait de pair.

Lilas ne put s'empêcher d'éclater de rire.

— Qu'est-ce qu'il y a de drôle ? demanda Violette.

— De pair... de paire... deux paires... Enfin, tu vois.

— Arrête, tu deviens vulgaire.

— Ben dis donc, Violette, c'est pas moi qui ai commencé à parler de bite.

— Je n'ai jamais prononcé ce mot-là !

— Non, tu l'as sucé !

Éclat de rire général. Violette se rembrunit quelque peu.

— Je peux finir mon histoire ? demanda Marguerite.

Un « bien sûr » parcourut la petite assemblée.

— Eh bien, mes amies, c'était le coup du siècle.

— Genre, la bouteille de Perrier ?

— Genre, magnum.

Un léger silence respectueux ondula dans la pièce.

— Et comment ça s'est passé ?

229

— Attendez, mettons les choses au point, je n'ai pris aucun risque. *Safe sex.*

Safe sex. Cela lui donna envie de sourire. Peur de l'enfant, peur surtout de la mort qui avait si longtemps rôdé, masquée par le plaisir. Condoms, gels, coïts interrompus. Désormais, le sexe était totalement *safe.* La mort avait trouvé un autre chemin.

Les trois filles regardaient leur aînée, de la curiosité plein les yeux. Celle-ci ménagea son effet, prit un temps avant de s'expliquer.

— C'est la seule fois de ma vie où je me suis fait baiser par un appendice nasal.

Les trois paires d'yeux s'ouvrirent encore plus grand.

— Au départ, un banal cunnilingus, on en était aux préliminaires, et à l'arrivée, mes amies, le feu d'artifice.

Lilas, Violette et Rose restèrent silencieuses. Elles devaient imaginer la scène, ou du moins essayer.

— Je sais, ce n'est pas évident à concevoir, ça paraît abstrait, mais c'est la pure vérité. D'ailleurs, j'ai été vache, une fois que je suis redescendue, et alors qu'il voulait pousser son avantage, je l'ai planté là.

— Effectivement, c'est pas sympa, glissa Violette.

— Et toi, qu'est-ce que tu as fait avec ton litre de Perrier ?

— C'est pas pareil, j'ai eu très très peur et je suis partie en courant.

— Petite nature.

— Oui, mais il n'avait pas un gros nez. Il n'avait pas du tout un gros nez.

Marguerite se leva et alla chercher une corbeille remplie de cerises d'un rouge brun très appétissant.

— Et toi, Rose, où en est ton actualité ?

— Rien.

— Comment ça, rien ?

— Rien, c'est rien. Ça fait un an que j'ai pas niqué.

Lilas éclata de rire.

— Quoi ? demanda Rose.

— Rien, pas niqué, elle a paniqué. C'est un jeu de mots…

— C'est pas drôle, dit Violette. Pas drôle du tout.

— Vraiment aucun sens de l'humour.

— Tu rigoles, mais tu t'envoies en l'air tous les week-ends dès que tu es bourrée, alors c'est pas sympa pour Rose qui est au régime sec.

— C'est pas grave, dit Rose, d'un ton tristounet. À vrai dire, je sais pas si ça me manque vraiment… Encore heureux qu'on ait inventé la masturbation.

Elle prit une grosse poignée de cerises et en croqua cinq, coup sur coup.

Ça lui donna faim, de voir cette jeune fille dévorer avec délectation les fruits dont le jus lui coulait sur le menton.

Qui avait enregistré ça ? Dans quel but ? La plus âgée ? Comme si elle avait prescience de ce qui allait se passer ? Cela paraissait tellement vrai, indépendamment du travail incroyable des informaticiennes qui avaient redonné vie à ces images anciennes et lui permettaient de s'y immerger totalement.

— C'est pas une solution durable, dit Violette.

— Ben si. Ça t'arrive pas, à toi ?

— Quand je suis un peu stressée et que j'arrive pas à dormir. À part ça...

— C'est dommage qu'une fille comme toi, attractive, intelligente, n'arrive pas à rencontrer quelqu'un, fit Marguerite.

— Si, j'y arrive. On arrive toujours à rencontrer des cons, c'est même ce qu'on rencontre le plus.

Une vague silencieuse d'assentiment parcourut le trio à l'écoute.

— Moi, ça me coupe tout, les cons.

— Même s'ils sont bandants ?

— Bandants deux minutes. Il y a toujours la phrase qui tue, le geste en trop, la suffisance. La suffisance des cons ! Oh là là !

— Moi, j'aime bien les cons s'ils sont gentils, dit Lilas.

— Évidemment, tu t'en rends pas compte, t'es bourrée !

— Arrête de dire que je bois, Violette ! Je suis pas une alcoolique. Je me lâche une fois par semaine, et encore pas toutes les semaines, j'évacue les tensions, c'est tout. Et dans mon job, les tensions, c'est pas ce qui manque. Avec tous ces crétins du marketing !

— C'est bien ce que je dis, tu t'en rends pas compte. C'est pas méchant, Lilas, ce que tu peux être susceptible !

— Vous n'arrêtez pas de vous asticoter, toutes les deux, alors que vous êtes dans la même situation, dit Marguerite avec un poil de perfidie.

— Mais pas du tout, du tout, se récria Violette, pas du tout ! Ça n'a rien à voir, mais alors rien à voir !

Violette avait toujours tendance à répéter les mots deux fois, comme pour souligner leur importance.

Violette était sa préférée. Apparemment si sûre d'elle, mais qu'elle sentait désemparée. Elle aurait aimé la rencontrer.

— Tu en es sûre ? insista Marguerite.

— Archisûre. Je n'aime que les très jeunes. Après vingt ans, je suis plus intéressée.

— Tu les trouves où ? En sortant avec tes copains pédés ?

— Parfois. De toute façon, je déteste les hétéros de base. Vous le savez bien, Marguerite.

— Ça réduit le champ de recherches, répondit celle-ci.

— Heureusement qu'ils sont là, brillants, charmants, cultivés, respectueux ! Qu'est-ce qu'on deviendrait sans ça ?

— Moi, j'ai pas d'amis pédés, dit Rose d'une petite voix. J'aimerais bien, mais j'en connais pas.

— Évidemment, dans ton boulot, c'est pas l'idéal, commenta Marguerite.

— Je suis sûre qu'il doit y avoir des pédés à l'Archevêché, dit Violette. Au moins un !

— Peut-être, mais c'est très discret. Moi je suis derrière mon ordi, j'ai pas le temps de faire une recherche approfondie. Et puis j'y pense même pas.

— Je t'en présenterai, proposa Violette, magnanime.

— Mais ça fera pas avancer le schmilblick, conclut Marguerite.

Il y eut un nouveau silence, traversé par le petit bruit sec des noyaux de cerises jetés dans les soucoupes.

— C'est marrant, dit Rose, on parle de cul, on parle pas d'amour.

— Chaque chose en son temps, mes amies. L'amour, ça ne vient pas forcément avec le cul. Parfois, c'est antinomique, on tombe sur un type imbuvable, un con même, j'ose le dire, un tocard à qui on ne jetterait pas un coup d'œil en temps ordinaire, et là, va savoir pourquoi, on chavire.

— Ça vous est déjà arrivé ?

— Oui, Lilas, deux fois.

— Deux fois ! s'exclama Violette. Deux fois ?

— Comment vous avez fait ?

Rose était sidérée.

— J'ai pas fait, ça m'est tombé dessus. J'ai vécu un an avec lui. Au début, c'est délicat, parce que tout le monde te demande ce que tu fais avec ce con.

— Qu'est-ce que vous faisiez avec ce con ?

— Il était richissime.

Un soupir de déception s'exhala autour de la table.

— Je tiens à mettre les choses au point.

Marguerite était une spécialiste de la mise au point dans la discussion.

— Je n'étais pas entretenue. S'il y a eu des cadeaux, ils étaient modestes, mais le train de vie était intéressant, les rencontres avec les nantis du monde, c'était une plongée dans l'inconnu pour moi. Pratiquement de l'anthropologie. J'avais vingt-trois ans, je commençais tout juste à jouer.

— Avant la Comédie-Française ?

— Juste avant... Il m'impressionnait. Ce côté mystérieux...

— Il y a du mystère dans la connerie ?

— Justement... La question était : Comment un type avec un QI de poule avait pu réussir à ce point dans la vie. Et puis j'ai trouvé la réponse et, le jour où je l'ai trouvée, je l'ai quitté.

— C'était quoi ? c'était quoi ? c'était quoi ? demanda Violette.

— Il avait l'intelligence du pognon. Dès qu'il était question de pognon, une partie de ses neurones se mettaient en marche, ce n'était plus le même homme. Mais uniquement pour le pognon.

— Et c'était un bon coup ? demanda Lilas.

— Très bon. Ça aide.

— Il avait quel âge ?

Marguerite hésita avant de répondre :

— Cinquante-quatre ans.

Le silence frôla carrément le bord de l'hostilité.

— En somme, vous vous êtes tapé un vieux con avec du fric, résuma Violette.

Marguerite laissa passer un temps avant de répondre.

— Tu as raison, Violette, c'est exactement ce que j'ai fait. Mais j'ai passé d'excellents moments. Aucune de vous n'a jamais été tentée par un riche baiseur ?

— Je connais pas de gens riches, dit Rose.

— J'en connais mais ils sont imbaisables, dit Violette.

— Peut-être, mais je m'en souviens plus, avoua Lilas. C'est pas marqué « plein aux as » sur leur bite.

— Arrête avec ce mot, s'exclama Violette.

— Ce que tu peux être coincée du langage, soupira Lilas.

— Moi, je suis coincée ? Moi, je suis coincée du langage ?

— Oui, et tu me soûles !

— Ça, c'est pas quelque chose qui te fait peur, répondit Violette.

— Vous êtes fatigantes ! Vous allez vous engueuler toute la soirée ? Vous étiez déjà comme ça quand vous étiez petites ? demanda Rose.

— Oui, Violette a toujours été chieuse.

— N'importe quoi ! Tu faisais connerie sur connerie, Lilas, c'est moi que maman engueulait, et je disais rien, je t'ai jamais dénoncée. C'est ça que tu appelles être chieuse, c'est ça ?

Lilas haussa les épaules en levant les yeux au ciel.

— En parlant de chieuse, je veux dire des « vraies », des chieuses professionnelles, j'en ai rencontré un très beau spécimen quand j'étais jeune.

Un « Qui ça ? qui ça ? » retentit en chœur autour de la table.

— Pas de nom, dit Marguerite, elle est encore en activité et vous êtes quand même de vraies langues de putes. Par souci d'honnêteté, je m'inclus dans le lot. Donc, pas de nom, des indices.

Cette proposition amena un silence quasi religieux, théâtral, ce qui convenait parfaitement à Marguerite.

Elle adorait ce passage. Il la faisait rire et la transportait, grâce au talent de conteuse de Marguerite, dans un univers qu'elle aurait aimé connaître autrement qu'à travers des archives. Elle rectifia mentalement : pas y vivre, juste y passer en touriste.

— Je l'ai connue à mes débuts, nous suivions le même cours d'art dramatique, juste avant d'entrer au Conservatoire. Petite, très brune, beauté quelconque mais une paire de nichons frisant la perfection. Appelons-la Aglaé.

— Bonne actrice ? demanda Violette.

— À chier debout. Et je ne dis pas ça en l'air, vous comprendrez pourquoi par la suite. Mais du charisme. Ça paraît contradictoire, c'est pourtant la vérité. À l'époque, nous n'avions pas un sou. Non, je n'avais pas encore rencontré mon milliardaire, précisa Marguerite, devançant les commentaires sournois. Nous partagions la même chambre de bonne, Aglaé et moi, et notre ordinaire se réduisait, la plupart du temps, à des sardines et des raviolis en boîte. C'était tout ce que les sommes très modiques envoyées par nos parents et les quelques petits boulots que nous pouvions dégotter nous permettaient.

» Un soir, j'étais rentrée plus tôt pour travailler une scène que je devais passer le lendemain. Aglaé a déboulé avec un grand sac de chez Fauchon. Elle était rayonnante. Et le plus fort, c'est que le sac Fauchon était rempli de victuailles. Foie gras, saumon fumé, petits fours, et même une bouteille de champagne rosé. Je crois bien que c'est la première fois de ma vie que j'ai bu du champagne rosé.

— J'adore le champagne rosé, dit Rose.

— Tais-toi, dit Violette. Alors ? Qu'est-ce qui s'était passé ?

— Ah, Aglaé n'a rien voulu me dire. Elle m'a juste laissé entendre qu'elle avait trouvé un job du tonnerre qui payait très bien. Et quand j'ai demandé si elle pouvait me mettre sur le coup, elle m'a lancé un drôle de regard et a fini par glisser : « Je crois pas que ça te conviendrait. » J'ai arrêté de lui poser des questions parce que je m'empiffrais de foie gras et de petits pains aux noix. Et puis la vie a repris son cours habituel, et on a mangé sardines et raviolis toute la semaine.

» Le lundi suivant, Aglaé est arrivée en retard au cours, mais elle a réussi son entrée. Elle avait une nouvelle coupe de cheveux qui lui allait très bien et était habillée de neuf de pied en cap. Jusqu'aux chaussures à talons compensés qui faisaient fureur à l'époque. Et de nouveau ce visage rayonnant. Elle passa une scène de manière minable et se fit engueuler par le prof, un vieil acteur qui avait eu son quart d'heure de gloire dans les années 1950 en jouant les mauvais garçons dans des policiers affligeants. Il ne la ménagea pas, fut plus qu'humiliant, lui conseilla même de changer de voie et d'abandonner toute velléité de devenir un jour une actrice digne de ce nom. Cela glissa sur elle comme l'eau sur les plumes d'un canard. Elle me lança un clin d'œil en regagnant sa place. « Ce soir, je t'invite à la Coupole, me chuchota-t-elle en s'asseyant près de moi. Tu aimes les huîtres ? » Je fis machinalement oui de la tête, je ne comprenais pas, à sa place j'aurais été dévastée, anéantie.

» La Coupole. C'était un lieu magique à l'époque, mythique, l'endroit où certains sièges avaient été occupés par les personnalités qui avaient façonné et transformé leur temps. On risquait d'y croiser les plus grands noms du théâtre, parfois du cinéma. On y rencontrait des artistes qui se disaient maudits et qu'on croyait couverts de talent. Il y régnait une ambiance incroyable de fête, de rencontres, des conversations profondes et brillantes résonnaient sous la coupole, et on liait si facilement connaissance, accoudé au bar, avec des inconnus qui nous paraissaient mystérieux et follement intéressants.

» En tout cas, c'est comme ça que nous le voyions, du haut de nos vingt ans.

» Bref, la Coupole, c'était l'endroit où il fallait aller, au moins une fois, comme tout bon musulman doit aller à La Mecque une fois dans sa vie. Et je n'y avais jamais mis les pieds, je n'avais fait que passer devant, le cours de théâtre se trouvait à deux pas. « Je t'invite, mais à une seule condition, ajouta Aglaé, tu me poses pas de questions. »

— Elle a rien d'une chieuse, cette fille, dit Lilas. Elle a l'air plutôt sympa, au contraire.

— J'ai pas dit que c'était une emmerdeuse. Nuance. Donc, pendant le dîner, je me suis gavée d'huîtres et de champagne, les yeux et les oreilles grands ouverts, aux anges, et je n'ai posé aucune question, trop occupée à savourer la chance que j'avais d'être là.

Marguerite observa une pause, pendant laquelle elle alla chercher une bouteille de sauvignon dans la cuisine. Elle demanda à Violette de prendre des verres dans le buffet et déboucha la bouteille.

— Alors ? alors ? trépigna Rose.

— Alors, on boit un coup à la santé d'Aglaé. Ce qui fut fait assez rapidement.

— Comment vous trouvez ?

— On a envie de savoir la suite.

— Je parle du sauvignon, Lilas.

— J'aime pas trop le vin blanc.

Violette éclata de rire.

— Elle préfère le gin.

— Je t'emmerde ! répondit Lilas.

— On se calme, les frangines, conseilla Marguerite.

Conseil immédiatement suivi d'effet.

Marguerite se servit un autre verre de sauvignon, dégustant l'impatience de ses amies avec un plaisir quasi pervers.

— J'ai fini par savoir comment elle se procurait cet argent. Mais il a fallu un peu de temps.

Marguerite marqua une nouvelle pause.

— Comment ? Vous allez nous faire mijoter longtemps comme ça ? demanda Rose.

— Elle chiait.

Silence d'incompréhension autour de la table.

— Vous avez bien entendu. Elle chiait.

— Moi aussi je chie, et ça se transforme pas en pognon, dit Lilas.

— Parce que tu n'es pas une chieuse professionnelle.

Le visage de Violette s'éclaira, elle faillit lever le doigt pour parler, mais dit simplement qu'elle avait compris et ajouta :

— C'est dégueulasse. Dégueulasse !

— Ça dépend pour qui. Il y a des amateurs.

Rose et Lilas ouvraient de grands yeux légèrement hébétés.

— Coprophilie ! lança Violette, telle une candidate d'un jeu télé qui a enfin la bonne réponse. Certains aiment la merde, c'est bien ça ?

— Correct, répondit Marguerite, telle l'animatrice du même jeu télé.

— Mais c'est immonde ! jeta Rose, écœurée.

— Comme on dit, tous les goûts... Donc, Aglaé œuvrait pour cette sorte d'amateurs très particuliers.

— Comment elle pouvait faire ça ?

— Je pense qu'elle était douée. Et comme l'argent n'a pas d'odeur... J'ai fini par découvrir son secret en la faisant boire. Je sais, c'est pas très joli, mais j'étais aussi curieuse que vous, sinon plus, j'étais aux premières loges. Le soir où Aglaé m'annonça qu'elle allait déménager, qu'elle avait trouvé un joli petit studio dans le quartier de l'Opéra, je fus secouée par la nouvelle. Puisque ma coloc me laissait seule, je décidai de savoir. C'était l'hiver, je me rappelle, il faisait un froid de cul dehors, et elle avait laissé deux bouteilles de champagne sur le bord de la fenêtre, puisque nous n'avions pas de frigo. Je lui ai proposé de fêter ça, on a ouvert la première bouteille de champ. À la deuxième, Aglaé était mûre. Mais, même très soûle, elle ne m'a jamais avoué par qui elle avait eu le plan. J'ai compris que c'était une sorte de Mme Claude...

— Qui ça ? demanda Rose.

— Vous êtes trop jeunes. Une taulière de haut vol, à la tête d'une escadrille de call-girls. La sienne, celle d'Aglaé, n'était sans doute pas aussi réputée, mais elle avait ses spécialités. Qui payaient bien. Très très bien. Mille francs par prestation, c'est-à-dire, à l'époque, pratiquement l'équivalent du SMIC.

— Juste pour chier sur les clients ?

— Oui.

— C'est immonde, répéta Rose, mais en rigolant, cette fois.

— Évidemment, ça donne à réfléchir, dit Violette.

— Tu ferais ça ? lança Lilas, scandalisée, à sa sœur.

— J'ai pas dit ça, mais on le fait bien pour pas un rond tous les jours…

— Dans le meilleur des cas. Je suis constipée une semaine sur deux, ajouta Rose.

— Ça se soigne, dit Violette.

— J'ai tout essayé, les suppos, les sirops, tout.

— Chez le psy.

— Quoi ? Quel rapport entre un psy et ma constipation ?

— Tu retiens, tu retiens tout, les mots, tout. Le jour où tu auras réglé ton problème avec ta mère, ça passera.

— N'importe quoi, madame Je-sais-tout.

Marguerite suivait la discussion, un léger sourire aux lèvres.

— C'est logique, Rose, réfléchis deux minutes. Ta mère est la reine des casse-couilles, elle te pourrit la vie, et toi, tu dis rien, tu retiens, tu fais la gueule et tu retiens.

— Comme si t'y étais.

— Pratiquement, tu me racontes tout par le menu dès que tu as un pet de travers.

Marguerite et Lilas éclatèrent de rire.

Violette réalisa ce qu'elle venait de dire et se mit à rire à son tour.

— C'est pas drôle, ton humour, fit Rose, pincée.

— Le jour où tu lui diras ses quatre vérités, tu vas chier ta vie, ce sera une libération.

— Tu crois que c'est facile de dire à sa mère que c'est une grosse conne ?

— Essaie, tu vas pas en mourir. Grosse conne ! salope ! connasse ! Et hop, aux chiottes.

— Vous avez pas fini de parler de merde ? demanda Lilas.

— Regardez-la, celle-là, elle rigole comme une bossue et après elle fait la fine bouche, lui répondit sa sœur.

— Il y a quand même d'autres sujets de conversation.

— Tu as raison, Lilas, mais je n'ai pas fini avec Aglaé. Qui, elle, avait un excellent transit. Qualité majeure dans sa profession.

Le silence revient autour de la table.

— Donc, Aglaé devint une chieuse professionnelle.

— Une pute qui chie.

— Arrête d'être vulgaire, Violette !

— Doucement, les frangines. On pourrait appeler ça comme ça, mais Aglaé restait maîtresse de son corps, elle n'avait aucun contact intime avec le client. Bref, elle gagna tant d'argent qu'elle arrêta le cours, me laissa seule dans la chambre de bonne, se prit un studio comme prévu. Et un soir, elle débarqua chez moi pour m'annoncer qu'elle allait se marier. Quand je lui demandai où elle avait rencontré l'heureux élu, elle répondit tout simplement : au boulot. Ce qui est logique, il est prouvé statistiquement qu'on trouve son partenaire le plus souvent sur son lieu de travail.

— Avec un client ?

— Qui avait été tellement satisfait de ses services qu'il était tombé amoureux.

— J'imagine le voyage de noces, fit Rose, et tout le monde se mit à rire.

— Voyage autour du monde dans le yacht du monsieur.

Silence dans la pièce.

— Waouh… fit Lilas à mi-voix.

— Comme tu dis. C'était une des plus grosses fortunes de France, et c'est d'ailleurs à son mariage que j'ai rencontré le con d'anthologie dont je vous ai parlé tout à l'heure.

— Moi, si j'avais à choisir, je ferais dominatrice, c'est quand même plus classe, dit Violette. Et puis je trouve le costume hyper seyant.

— Tu as déjà les chaussures, dit Lilas.

— Ça n'a rien à voir. Mais alors, rien, rien à voir.

— Ben si, talons de douze centimètres, chaînettes et lacets en cuir, je trouve ça vulgaire.

— T'es juste jalouse parce que tu ne peux pas porter de talons avec tes grosses chevilles.

— On en reparlera dans dix ans, quand tu auras la colonne vertébrale comme un cep de vigne et un tassement des vertèbres.

— Comment elles s'habillent maintenant, les putes ? Puisque toutes les femmes s'habillent comme elles ? Ça doit pas être évident, dit Rose.

— Toutes les femmes ?! Généralité à la con !

— Ben, je t'en prie, Violette, dit Rose, vexée.

— C'est dans les magazines, le look pute, pas dans la vie. Reviens sur terre !

— Regarde-toi ! jeta Lilas à sa sœur.

— Quoi ! Quoi ?! Regarde-toi !

— Je parle même pas des pompes, mais ton short qui te rentre dans la raie du cul, et le nombril à l'air. T'es habillée comment ?

— C'est l'été. Tu veux que je porte des Moon boots et un anorak ? Avec tes fringues posthippies informes, tu vas pas me faire la leçon.

Marguerite calma le jeu.

— Vous allez pas vous y remettre ! Oh ! Violette a son style, Lilas a le sien et c'est très bien comme ça. Pour des jumelles, on ne risque pas de vous confondre.

— Ça paye bien, dominatrice ? demanda Violette.

— J'ai pas les tarifs, mais ça doit rapporter, répondit Marguerite.

— Et la deuxième fois ? demanda Rose.

— Quelle deuxième fois ?

— Vous avez dit que ça vous était arrivé deux fois.

Et, comme personne ne semblait comprendre, elle ajouta :

— De tomber amoureuse d'un con…

Marguerite prit le temps de répondre :

— Du même. Ça vous surprend ?

Violette affirma que non, non, pas du tout du tout, sans conviction. Lilas ne dit rien mais n'en pensa pas moins et Rose ajouta :

— Un peu, quand même.

— Un jour, il m'a appelée. Il avait réussi à dénicher mon numéro et il m'a appelée. Vingt ans après… C'étaient les années 1990, on était en pleine récession et il avait tout perdu en bourse.

— Il voulait quoi ? Vous taper de l'argent ?

— Exactement, Lilas, exactement.

— Et du coup, vous êtes repartie pour un tour ? Je vous crois pas !

— C'était devenu un vieux monsieur. Je l'ai trouvé touchant, et je lui ai prêté deux mille francs, à l'époque, c'était une somme, en tout cas pour moi, au Français on sert les grands textes mais les salaires sont très raisonnables.

Marguerite voulut remplir son verre de sauvignon, vit que la bouteille était vide et alla à la cuisine en chercher une autre, laissant ses trois amies dans l'impatience de savoir la suite.

Quand elle revint, Rose chuchotait quelque chose à Violette, qui s'abstint de répondre.

— Je sais, je sais, ça doit vous paraître stupide. Et soyez gentilles, ne me dites pas non.

Elle déboucha la bouteille et remplit les verres.

— À mon vieux milliardaire ruiné !

Les filles trinquèrent mollement.

— Deux jours plus tard, je trouvai dans ma loge un petit paquet-cadeau avec, à l'intérieur, un bracelet en strass, imitation diamant, avec un petit mot : « Merci. En attendant le vrai. »

— C'est gentil, dit Rose.

— C'est la moindre des choses, dit Violette.

— Peut-être, mais ça m'a émue, je l'ai appelé, le soir même nous dînions ensemble, j'avais choisi un petit resto pas cher, il a voulu payer l'addition, ensuite il a tenu à me montrer l'endroit où il logeait, un hôtel vraiment pourri, nous sommes montés dans sa chambre, une sorte de placard avec toilettes sur le palier. Il m'a dit : « Voilà, mais ça va repartir, je sais que ça va repartir, et je t'aime toujours, Marguerite. »

— Et alors ?

— Alors c'est reparti, d'une certaine façon.

— Vous avez… ?

— Oui. J'ai.

— Mais quel âge il avait ?

— Soixante-quinze ans, mais c'était encore un amant tout à fait honorable.

Un silence s'installa, chargé d'incompréhension.

Personne n'osait ouvrir la bouche, à part pour vider son verre.

— Ça a duré trois mois, très agréables, je dois reconnaître que l'âge n'avait pas amélioré la qualité de ses neurones, mais j'étais devenue plus tolérante. Et puis, un jour, il m'a annoncé qu'il partait en voyage et que j'aurais de ses nouvelles régulièrement. Ce qu'il fit, ponctuellement.

— Et ensuite, qu'est-ce qui s'est passé ? Qu'est-ce qui s'est passé ensuite ?

— Ensuite, Violette, j'ai reçu un autre paquet-cadeau dans ma loge, contenant le même bracelet, enfin presque : les diamants étaient vrais, cette fois. Avec un petit mot : « Merci pour les deux mille francs. »

Un léger waouh étonné courut autour de la table.

Marguerite se mit à rire :

— Eh oui ! Il avait refait fortune, à soixante-quinze ans ! C'était reparti ! Il est revenu, il logeait au Ritz, rebelote, invitations dans des parties ultra-chics et ultra-chiantes, il avait une pêche incroyable… et la connerie arrogante qui allait avec.

— Et vous l'avez quitté ?

251

— Oui, mais je l'ai jouée plus fine. Je n'avais aucune envie de lui faire du mal. Je lui ai présenté une jeune pensionnaire de la maison, bonne fille et saute au paf, qui avait envie de faire une fin.

— Faire une fin ?

— C'est vrai, c'est une expression démodée. Faire une fin, trouver celui qui lui assurerait une vie confortable. Et ça a marché.

— Et si on parlait d'amour ? dit Rose, qui avait de la suite dans les idées.

Violette partit au quart de tour sous le regard amusé de Marguerite.

— C'est du domaine de la science-fiction et des névroses sociétales. Tu as quelque chose à dire là-dessus ?

— Ben oui. Ça me manque, pas vous ?

Il y eut un léger silence, vite rompu par Lilas.

— Va sur Meetic ! T'as essayé ? Et le speed-dating ? Non plus ? Tu peux même le trouver sur ton Smartphone, à deux pas de chez toi.

Rose ne releva pas la plaisanterie :

— Aucune d'entre nous n'a de Jules, je ne parle pas de Marguerite.

— Tu peux m'inclure dans le lot. Ça ne me vexera pas, au contraire. Ça me remettrait sur le marché.

Lilas finit par lâcher que, de toute façon, sur le marché il n'y avait pas de Jules valable. Des coups, oui. Mais pas de Jules. Ou alors, des tocards de seconde zone.

Violette affirma qu'elle se sentait parfaitement bien comme ça et qu'elle ne ressentait aucun manque, mais alors aucun aucun manque.

— C'est ce que tu racontes à ton psy deux fois par semaine ? lui glissa sa sœur, avec un sourire en coin.

— Mais tu me fais chier, ça te regarde pas, merde ! Mais merde, connasse !

— Connasse toi-même !

— Qui reveut du sauvignon ? demanda Marguerite, histoire de détendre l'atmosphère.

Trois verres se tendirent vers la bouteille.

Elles prirent le temps de déguster. Visiblement, la conversation avait du mal à repartir.

Courageusement, Rose relança le débat.

— Moi, je suis sûre que ça doit exister, le grand amour. Les regards qui se croisent et paf, on est cloué sur place, on a le cœur qui bat et tout le tremblement ! Marguerite, ça vous est déjà arrivé, je veux dire, à part le crétin biznessman ?

Marguerite esquissa un sourire :

— Je dois avouer que non. Si... une fois... Je partais en tournée, je montais dans le train, un jeune homme en descendait, on a failli se rentrer dedans, il s'est excusé et, comme tu dis, nos regards se sont mélangés, pendant quelques secondes ça a été incroyablement intense, et puis le chef de gare a sifflé le départ, je suis montée, il est descendu sur le quai et le train est parti. Je ne sais pas si ça compte.

— Si, ça compte ! Bien sûr que ça compte !

— Alors, si ça compte, moi aussi j'ai vécu une histoire torride ! ricana Violette.

— Tu vas pas te mettre à parler de cul ?

— Arrête, Rose ! Je ne parle pas que de cul, c'est pas vrai ! Mais c'est pas vrai !

— Excuse-moi, Violette. Pas la peine de t'énerver.

— Et puis, j'ai pas envie de parler d'une connerie comme ça, sans intérêt.

— Tout va bien, dit Marguerite. Tout va bien. Tu fais comme tu veux.

Lilas ouvrit la bouche pour dire quelque chose de probablement désagréable, mais Marguerite l'en empêcha d'un froncement de sourcils.

Violette vida son verre et, sans lui demander son avis, Marguerite le lui remplit.

— C'est très con, très très con, mais bon… Et puis, ça remonte à…

— Le fils du proviseur ! J'en étais sûre ! s'écria Lilas.

— Mais pas du tout, pas du tout, du tout, du tout ! C'est toi qui étais amoureuse de cet abruti en terminale !

— Ma pauvre fille ! On a baisouillé, une fois, une catastrophe, éjaculateur précoce. C'était mon premier.

— Ton premier ? Tu as commencé à quatorze ans !

— Mon premier éjaculateur précoce !

— On avait dit pas de cul, répéta Rose.

Elles ne parlaient que de ça, de sexe, de taille de pénis, des performances du partenaire, et Rose voulait parler d'amour. Ça ressemblait à quoi, l'amour, à cet instant précis de l'histoire ? Avant le Grand Désespoir ? Avant la disparition du genre masculin, dont les dernières traces étaient archivées dans ce musée ?

Violette respira un grand coup et plongea dans son récit.

— C'était la saison dernière. La pièce venait de commencer et ça marchait très fort. Lilas, tu ne m'interromps pas, s'il te plaît.

— J'ai dit quelque chose ?

— Un soir, j'ai reçu des fleurs dans ma loge, un bouquet de roses. Il n'y avait aucune carte, mais elles avaient un parfum délicieux et, comme je me penche pour les sentir, je vois quelque chose d'écrit sur l'un des pétales, en tout petit. J'ai eu un peu de mal à lire, mais quand j'ai réussi, j'ai trouvé ça magnifique. C'était écrit : « Je vous aime. »

— Qu'est-ce que c'est joli ! s'exclama Rose. Et tu as jamais su qui c'était ?

— Attends… Et puis, deux jours après, j'ai reçu un autre bouquet, le même, et il y avait écrit : « un peu ».

Lilas laissa échapper un soupçon de rire, que Violette ignora.

— Et ça a continué. Le suivant, c'était…

— « Beaucoup » ?

— Lilas, tu me laisses parler ? Oui, c'était « beaucoup ». Et deux jours plus tard, « à la folie ».

— Suivi d'un « pas du tout » ? demanda Marguerite.

— Non, pas de « pas du tout ». Pas de…

Il y eut un léger déclic, l'image se gela. L'enregistrement s'arrêtait là.

Elle appuya sur la commande du joystick.

Un message passa en surimpression devant ses yeux : « Voulez-vous relancer l'application ? »

Elle hocha la tête négativement.

Le décor se dilua, les quatre femmes s'estompèrent peu à peu, elle ôta son casque et se retrouva dans la minuscule cabine.

Elle quitta la salle, où une dizaine d'autres cabines étaient occupées, et alla à la caisse.

La caissière lui sourit :

— Bon programme ?

— Toujours intéressant.

— Vous prenez toujours le même.

— Je l'aime bien. J'aime bien les personnages.

— Vous êtes l'une des rares à le demander. Ce qui marche le mieux, c'est les porns.

— C'est toujours le même schéma... Ennuyeux, à la fin. Et puis, je peux toujours en télécharger chez moi.

La caissière eut un sourire en coin :

— Oui, mais il n'y a pas le joystick spécial... À bientôt.

Une jeune femme se présenta à la caisse et elle eut le temps de l'entendre demander, avant de franchir les portes du musée :

— Porn 2.

Et la réponse de la caissière :

— Simple ou triolisme ?

Dehors, le soleil brillait timidement. Elle traversa l'esplanade du musée de l'Homme et se dirigea vers l'arrêt de bus.

Il était 17 heures, il allait être bondé. Tant pis, elle préférait le bus et elle connaissait toutes les conductrices.

Elle se faufila au milieu des passagères, s'agrippa à une poignée et le bus démarra.

— Tu as été au musée, je suis sûre ! lui demanda sa femme lorsqu'elle rentra.

— Pas pour les porns, je te l'ai déjà dit.

— Pour ta thèse, je sais…

Elles s'embrassèrent tendrement.

— C'est curieux de voir l'importance qu'ils prenaient à cette époque. En même temps, c'est tout à fait logique, par rapport à cette société. C'était un pivot.

— Le sexe ?

— Non, l'amour. Le sexe, ce n'est pas ce qui manquait, mais l'amour, c'était beaucoup plus compliqué… Et toi, au labo ?

— Il y a une cinglée qui veut en cloner un.

— Un homme ?

— Elle sait bien que ça marchera jamais, on a déjà essayé et ça foire chaque fois.

— Pourquoi ? C'est une promâle ?

— Non, à ses yeux, c'est juste une expérimentation.

— Et alors ?

— Et alors, elle n'aura pas les crédits, c'est tout. On a de très bons résultats sur la parthénogénèse, et tu sais ce que ça coûte.

— Vous pensez y arriver ?

— Au train où ça va, dans une dizaine d'années ce sera bon.

Elle regarda sa femme, un sourire épanoui aux lèvres, et la serra dans ses bras. Elles vivaient ensemble depuis vingt ans et, avant elles, leurs clones vivaient ensemble.

Un nuage passa dans son regard :

— On sera trop vieilles...

— Nous, oui, ce sera pour les suivantes.

TABLE DES MATIÈRES